o cozinheiro e o mar

o cozinheiro e o mar
a cozinha de Edinho Engel e o restaurante Manacá

fotos Romulo Fialdini · **apresentação** Mario Cohen

Manacá - luxo gastronômico escondido na Mata Atlântica

Vamos ao Manacá porque estamos no litoral ou vamos ao litoral porque vamos ao Manacá?

Essa deliciosa dúvida já me ocorreu muitas vezes, porque sair de São Paulo com a perspectiva de ir ao Manacá sempre mudou - ainda mais para cima, é claro - o astral da viagem. Conheci o restaurante nos idos de 1993, e foi paixão à primeira vista. Adorei Edinho Engel, Wanda e o ambiente meio mata, meio chique, sem horários e com dose perfeita de inovações gastronômicas. Chegar ao Manacá e tomar uma Laila - drinque que, inventado por Edinho, mistura uísque com laranja - era o máximo. Os pratos então, nem se fala!

Além de ser um lugar mágico, conheci no Manacá muitas pessoas interessantes: Luciano Boseggia, então chef do Fasano de São Paulo, e Emmanuel Bassoleil, recém-chegado de Auxonne, na Borgonha. Com eles, realizei mais de um projeto editorial de sucesso. O Manacá sempre foi, e continua sendo, o **point** do litoral para comer com sofisticação, mas sem esquecer que se está na praia.

Nesta reedição de um livro que muito me orgulha, vale afirmar que seu sucesso se deve ao próprio jeito de Edinho para tocar o restaurante: sempre utilizou pessoas da região e propiciou que participassem efetivamente dos rumos do Manacá, inclusive com participação no negócio. Edinho é um verdadeiro brasileiro, com trajetória pautada pela generosidade, trabalho duro e coragem. Sua nova empreitada, o restaurante Amado, em Salvador, é a continuação do Manacá no ambiente soteropolitano, onde já está entre as casas mais queridas e disputadas da cidade. E não poderia ser de outra maneira!

Parabéns, Edinho, com um abraço do amigo

Alexandre Dórea Ribeiro
editor, DBA

EDITOR
Alexandre Dórea Ribeiro

EDITORA EXECUTIVA
Adriana Amback

DESIGN E PRODUÇÃO GRÁFICA
Rubens Amatto

REVISÃO DAS RECEITAS
Rose Peinado

REVISÃO DE TEXTO
Mário Vilela
Norma Marinheiro

FOTOS ADICIONAIS
Nicia Guerreiro (p. 18-9)
Agência Estado/Monica Maia (p. 32)

FOTOLITO
Postscript

IMPRESSÃO
RR Donnelley

Copyright © 2002 das receitas by Edinho Engel
Copyright © 2002 das fotografias by Romulo Fialdini

Os direitos desta edição pertencem à
DBA Dórea Books and Art
al. Franca, 1185 cj. 31/32
01422-001 São Paulo SP
tel.: (11) 3062 1643 fax: (11) 3088 3361
dba@dbaeditora.com.br

Reservados todos os direitos desta obra.
Proibida toda e qualquer reprodução desta
edição por qualquer meio ou forma, seja ela
eletrônica ou mecânica, fotocópia, gravação
ou qualquer meio de reprodução, sem
permissão expressa do editor.

SUMÁRIO

apresentação
23

minha história
24

o manacá
34

peixes
41

moluscos
77

crustáceos
97

Eu gostaria de agradecer a duas mulheres maravilhosas que sempre me apoiaram e incentivaram. À Anna Verônica, que me ajudou a construir os caminhos de minha realização pessoal. Sem seus cuidados, dicas e atenções muito além da psicanálise, teria sido muito difícil chegar até aqui. A minha mulher, Wanda, companheira, batalhadora e crítica perspicaz que compartilha comigo o sucesso que pudemos alcançar. Eu gostaria, finalmente, de agradecer a meu pai o exemplo admirável de honradez e caráter, valores quase esquecidos nos dias de hoje. Seu espírito empreendedor é para mim uma referência obrigatória e feliz. Espero poder deixar parte desse legado precioso a minha querida filha, Júlia.

Manacá é suave

Por que alguém que não é do comércio abre uma livraria? Por que alguém que não é escritor escreve um livro? Por que alguém que não é músico um dia canta uma música? Porque gosta de livros, porque gosta de contar histórias, porque está amando... O motivo é o amor, o sucesso é do talento. Nessas iniciativas, o amor e o talento (jamais o dinheiro) é que fazem a diferença. Havia uma pequena padaria com uma placa ao lado do caixa que dizia: "Nunca teremos filiais". A gente fazia fila satisfeito, com a presença, no ar, do aroma da última fornada. Admiro pessoas que não são do ramo e se dão bem. Elas é que fazem os caminhos. E sempre adorei o caminho que me levava ao Manacá, principalmente nos dias de chuva. Naquela época, eu nadava desde a frente de casa até o Camburizinho. De lá, a gente ia admirar a vida e as casas no Cambodja. Passávamos na frente do Manacá, encomendávamos o almoço e, na volta, nos sentávamos e ficávamos até o fim da tarde. Demorou para entender que o que eu amava nesses dias era a sua harmonia. Harmônica é a música em que um som influencia o som vizinho e os torna semelhantes entre si. O Manacá estava em harmonia com o sertão, que, por sua vez, estava em harmonia com a casa do Carlinhos, o "chapéu de sol" lá de casa, a venda em frente ao campo de futebol, a ponte do rio, as conchas com a cor do mar na noite...

"Vendo aquelas casas de surpresa em surpresa, a gente como se encontra, fica contente, feliz, e se lembra de coisas esquecidas, de coisas que a gente nunca soube, mas que estavam dentro de nós." (Lúcio Costa, 1929)

Mario Cohen

minha história

A lembrança mais remota que tenho é de uma mesa repleta de guloseimas - a mesa de meu aniversário de três anos -, coberta por doces, bolos, salgados e, particularmente, um docinho de festa típico de minha região, a "ameixinha de queijo". Sou louco por esse doce, simples, rústico, mas tão genuinamente rural e regional que é vendido em todos os botecos e antigos armazéns. Em minha memória, aqueles docinhos iluminavam toda a mesa e lhe davam uma intensa luz amarela, inesquecível.

As melhores ameixinhas que já comi eram de d. Letícia - tenras e suculentas, perfeitas na textura e sabor, com um cravo espetado na ponta. Comíamos bem na casa dessa memorável senhora, mãe de amigos de infância e companheiros de experiências inesquecíveis. É de sua casa também a memória do primeiro peru de Natal. Dávamos cachaça àquela ave estúpida, que não conseguia sair do círculo que riscávamos em sua volta, e brincávamos felizes com esse enorme bicho meio tonto. No dia seguinte, lá estava ele, o peru, assado, dourado e tenro, decorado com cerejas e rodelas de limão e recheado com farofa de miúdos, ameixas pretas e azeitonas, as quais sempre estiveram em moda, lá e em quase todo o interior do Sudeste. Foi com d. Letícia que experimentei meu primeiro ponche, servido numa poncheira daquelas que se ganhavam de presente de casamento, no tempo em que as moças faziam enormes e (quando as posses permitiam) suntuosos enxovais de casamento. Foi naquela casa que experimentei minha primeira maçã verde, inesquecível, com seu sabor ácido e marcante, uma novidade e tanto para quem só comia frutas da região. Na verdade, aquela casa representava o que podia haver de mais requintado na Uberlândia dos anos 50, e acredito que essa experiência me marcou por toda a vida.

Nasci num Brasil rural, em que ainda não existiam produtos enlatados. Comíamos carne de porco, frango caipira, miolo de boi (que já não encontramos mais). Comíamos e cozinhávamos de acordo com a estação. Só para citar dois exemplos muito marcantes em minha infância: em época de milho, as pamonhas, os bolos de milho fresco e o cural; em época de goiaba, a fruta em calda e a goiabada.

Minha mãe, Yolanda, e sua irmã Júlia, uma segunda e adorável mãe, eram (que Deus as tenha) mineiras do sul do estado. Nascidas na fazenda Campo Redondo, lá pelos lados de Alfenas, mantinham sempre acesa a tradição culinária rural mineira, não por simples apego às tradições, mas porque não sabiam fazer de outra forma. E, fosse na cidade, fosse na fazenda, a rotina culinária era espantosa e frenética. No dia-a-dia, comíamos da tradicional cozinha "brasileira": arroz, feijão, bife, frangos, carne de porco e muito legume e verdura refogada. Minha tia Júlia era uma precursora da cozinha light e adorava legumes e verduras, que preparava com mestria. Assim, tínhamos à mesa couves, cenouras, chicórias, batatas, chuchus, às vezes quiabos e jilós, espinafres e mandiocas. É de tia Júlia o melhor escaldado que já tomei em toda a minha vida, não sei se porque, sempre que estávamos adoecidos, ela aparecia com sua indefectível sopa à base de caldo de frango, engrossado com farinha de mandioca ou de milho, um pouco de couve cortada muito fininha e um ovo escaldado e mexido, que ficava em fiapos. Adorávamos aquela sopa e acreditávamos em seus poderes de restaurar a força, o ânimo e o moral quando brigávamos e disputávamos, quase sempre aos tapas, a primazia de alguma brincadeira ou as atenções de nossas queridas mães.

Minha mãe, quando ainda não era diabética, adorava festas, reuniões, encontros, e trabalhava como louca para que tudo desse certo. Assim, comandava o abate de porcos e todo aquele trabalho infernal que é preparar as lingüiças, fritar as carnes e guardá-las na própria banha e fazer pururucas, pernis e presuntos, que ficavam dias defumando sobre o fogão a lenha.

Era ela também que comandava a feitura da pamonha, do cural e dos bolos de milho. Que farra boa quando todos nós, crianças, tínhamos que passar as espigas em enormes raladores feitos com latas de óleo de dezoito litros furadas com prego; quando escolhíamos as palhas do milho e ajudávamos a enchê-las com o creme cru da pamonha já temperada e então amarrá-las, para que fossem cozidas. Depois, fazíamos campeonatos de quem comia o maior número delas. Lembro-me de que, certa vez, meu irmão Israel devorou catorze - ou terão sido dezesseis? Não sei como não teve indigestão.

Naqueles anos, aproveitávamos tudo, éramos muito mais ecológicos, pelo menos no que se refere a reutilizar embalagens. O leite vinha em lindas garrafas de vidro, retornáveis; as latas de óleo e manteiga viravam fôrma de pão, caneca de água e café (nas casas mais humildes) e até brinquedo de criança. A lata de leite condensado, um dos primeiros enlatados a terem chegado a Uberlândia, servia como medida para receitas (uma lata disso, outra daquilo...).

Os doces típicos, como a goiabada, a marmelada, o doce de mamão, banana, figo e quase toda fruta da estação, eram disputadíssimos quando saíam dos tachos de cobre e iam parar nas caixetas de madeira, armazenadas até a estação seguinte. Fazíamos muito sucesso em São Paulo e Rio de Janeiro quando chegávamos, à época da universidade, levando essas caixetas repletas de um doce luzente com pedaços de fruta e o delicioso queijo-de-minas, fresco, acompanhamento obrigatório.

De tudo isso era d. Yolanda quem cuidava, pondo-nos para ajudá-la.

Nós, os filhos, mais nossos amigos e agregados, brigávamos sempre, por tudo e por nada, até mesmo para disputar o "jogo" (um osso em forma de estilingue, aquela parte do peito de frango, que, depois de ressecada no fogão, é disputada numa queda-de-braço e propicia a realização de um desejo para quem fica com o maior pedaço) ou o bife de sangue que saía das panelas cheirosas, transbordando com o caldo fumegante das galinhas, sempre caipiras, mortas, sangradas e depenadas no quintal cheio de pés de jabuticaba, nêspera, fruta-do-conde, limão-china, laranja, manga, abacate e lichia e de árvores da

canela, pelas quais nosso vizinho Daniel, jardineiro apaixonado, sentia verdadeira adoração.

Particularmente, eu tinha adoração era pelo dia da quitandeira, aquele (ou aqueles, porque muitas vezes eram dois na semana) em que vinha uma senhora fazer quitanda. Em Minas, "quitanda" significa toda sorte de pão, broa, rosca e biscoito. Nesses dias e nos seguintes, eu me fartava de pães de queijo, broas de fubá (tão tenras e leves que comíamos de baciada), roscas recheadas com canela ou coco, pãezinhos húngaros, canelinhas de veado, broas de amendoim, biscoitos de polvilho (assados ou fritos na banha), biscoitos de nata, sequilhos e bombocados, queijadinhas e brevidades, além dos pães (sovado, de mandioca ou de batata) e dos bolos (de fubá ou de farinha de trigo enformados com açúcar cristal).

A memória da infância é sempre associada a uma mesa cheia de gente e comida, aromática, rústica e vibrante, como o cachorro-quente de lingüiça que se servia no Praia Clube de Uberlândia em 1960, que tomávamos com o Guaraná Mineiro, inesquecível.

Só mais tarde, quando começamos a sair de nossas trincheiras rurais e estabelecemos relações mais próximas com capitais e com o mundo, foi que surgiram as primeiras influências propriamente urbanas. Uberlândia começava a crescer muito, por causa da construção de Brasília. Surgiram os hambúrgueres, o guaraná champagne Antarctica, a Coca-Cola, as mostardas, o ketchup, as barras de chocolate, os pavês, o creme de leite, as bolachas champagne e todas aquelas maravilhas (algumas deploráveis) que a industrialização foi trazendo. Nessa época, esperávamos com grande

prazer o almoço de domingo, quando cada uma de minhas três irmãs fazia um prato para o namorado. Aí, comecei a experimentar o que se pode chamar de culinária internacional clássica: coquetéis de camarão, goulash, estrogonofe, filé à francesa, à cubana, e toda sorte de prato que estivesse na moda. A cozinha era doméstica, pois restaurantes eram extravagâncias raramente consentidas.

Mas um dia crescemos, e foi imperioso sair de casa. Nos anos 60, os filhos se iam aos quinze, dezesseis, no máximo dezoito anos. Tínhamos um novo mundo a experimentar. Era vital romper com a família e seus valores. Ainda que dependêssemos da mesada.

Cheguei a São Paulo em 1971, para estudar. Fiz o terceiro colegial em uma escola na Vila Mariana. No ano seguinte, cursinho no Equipe. Em 1973 entrei no curso de ciências sociais na USP. Demorei muitos anos para concluir, pois a vida nas ruas borbulhava e não tínhamos tempo para perder em livros e escolas. Queríamos contestar, fazer sexo, agredir o velho mundo, afirmar a diferença, experimentar, vivenciar, compartilhar sonhos, camas, paixões, ideais. A discussão política era interminável, assim como os baratos. Acreditávamos num mundo novo, que surgia pungente a nossos olhos ávidos de transformação. Muitos amigos se perderam nesse caminho, necessário, cruel, sem retorno. Éramos muito jovens, e a época era de ruptura. Ficava difícil conciliar o velho e o novo mundo. Foi em São Paulo que descobri os restaurantes e seu enorme fascínio. O frenesi dos garçons, barmen, commis e porteiros e o vislumbre de cozinheiros em atividade exerceram sobre mim fascínio definitivo. Eu queria jantar fora toda noite, mas não podia. Foi a época das grandes cantinas, dos restaurantes temáticos (Gigetto, Piolin, Longchamp, Frevinho) e de poucos estabelecimentos sofisticados, que, como estudante, eu não podia freqüentar. Alguns lugares, como as cantinas, eram da esquerda, dos alternativos, estudantes, drogados e tresloucados. Outros eram dos almofadinhas, da direita, da "burguesia", e dali fugíamos, com medo de contaminação e difamação.

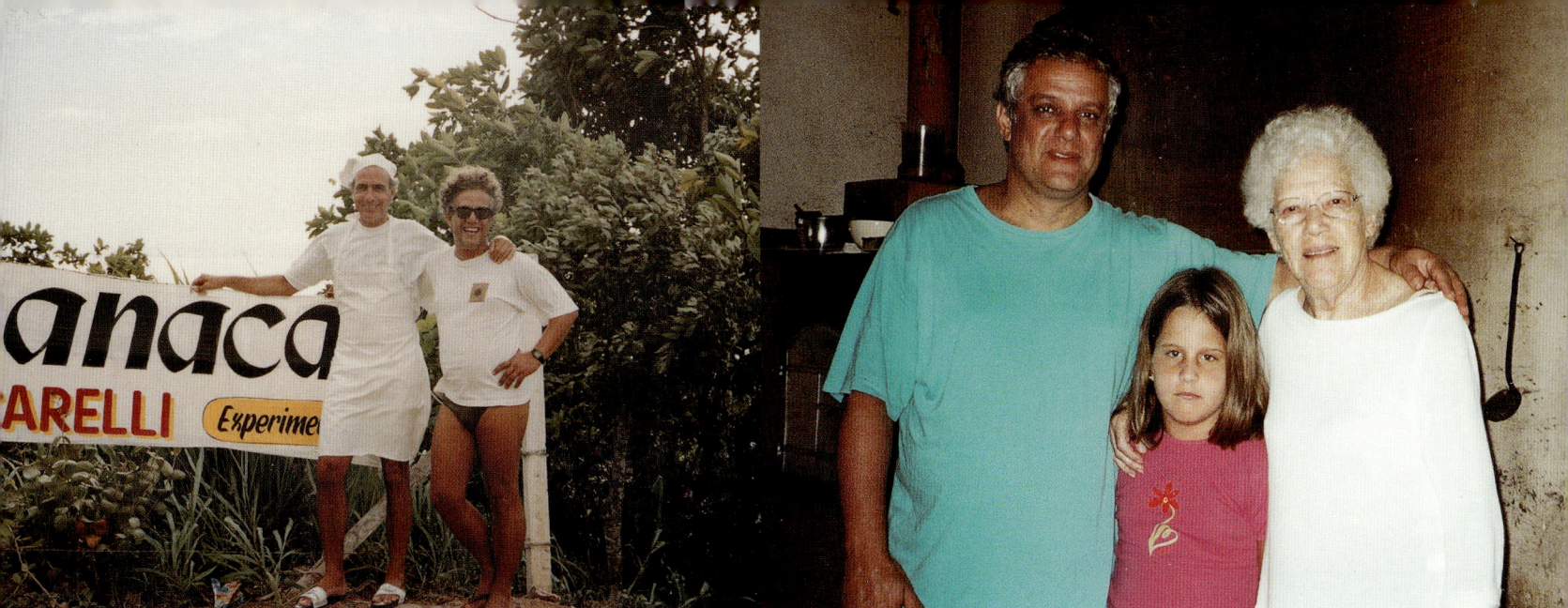

Nesses enlouquecidos anos 70, aprendi e experimentei vários ofícios: ator e todos as ocupações de teatro, mambembe e itinerante; artesão e joalheiro; fotógrafo. Em 1978, fui trabalhar na Companhia do Metropolitano de São Paulo, com planejamento de transportes urbanos. Não era minha vocação, e, em dois ou três anos, joguei para o ar um belo salário e uma carreira promissora e fui vender quitanda mineira e salgadinhos na porta do metrô, em cabeleireiros e em qualquer escritório que me permitisse entrar. Por essa época, já tinha terminado meu longo curso de ciências sociais e, entre pesquisas antropológicas, cozinha macrobiótica e doces mineiros, fui montar com o querido amigo e conterrâneo Guilherme Abrahão o meu primeiro e fatal restaurante, o Fazenda Mineira.

Apaixonei-me pelo ofício de cozinha e salão ali, no bairro paulistano de Pinheiros, em 1981.

O Fazenda era um sucesso enorme, em seu minúsculo espaço cheio de músicos, atores, universitários e recém-formados, uma clientela fiel e jovem, vinda de todo o Brasil para, como eu, buscar um caminho na vida, naquela sensacional e assustadora cidade de São Paulo. Nós nos revezávamos quase 24 horas por dia para dar conta dos incríveis sanduíches que fazíamos, dos pães de queijo, sopas e bolos que servíamos no café-da-manhã, almoço, chá da tarde e jantar e, claro, das enormes quantidades de cerveja e cachaça que se consumiam. Foram dez meses de frisson, muito trabalho e... amores. Foi ali que conheci a Wanda, a fabulosa mulher que amo e com quem me casei. Ela tinha uma loja de produtos macrobióticos (onde eu comprava arroz integral) e de noite vinha tomar uma cachaça comigo. Assim fomos nos conhecendo e tecendo nosso futuro. Bons tempos.

Quando vendi o Fazenda Mineira, resolvi dar um tempo, sumir pelo mundo. Viajei por todo o Brasil, América do Sul e Europa. Ao voltar, precisava dar um "rumo na vida", como dizia minha mãe. Foi então que montei o Manacá, casei com a Wanda e me mudei para Camburi.

o manacá

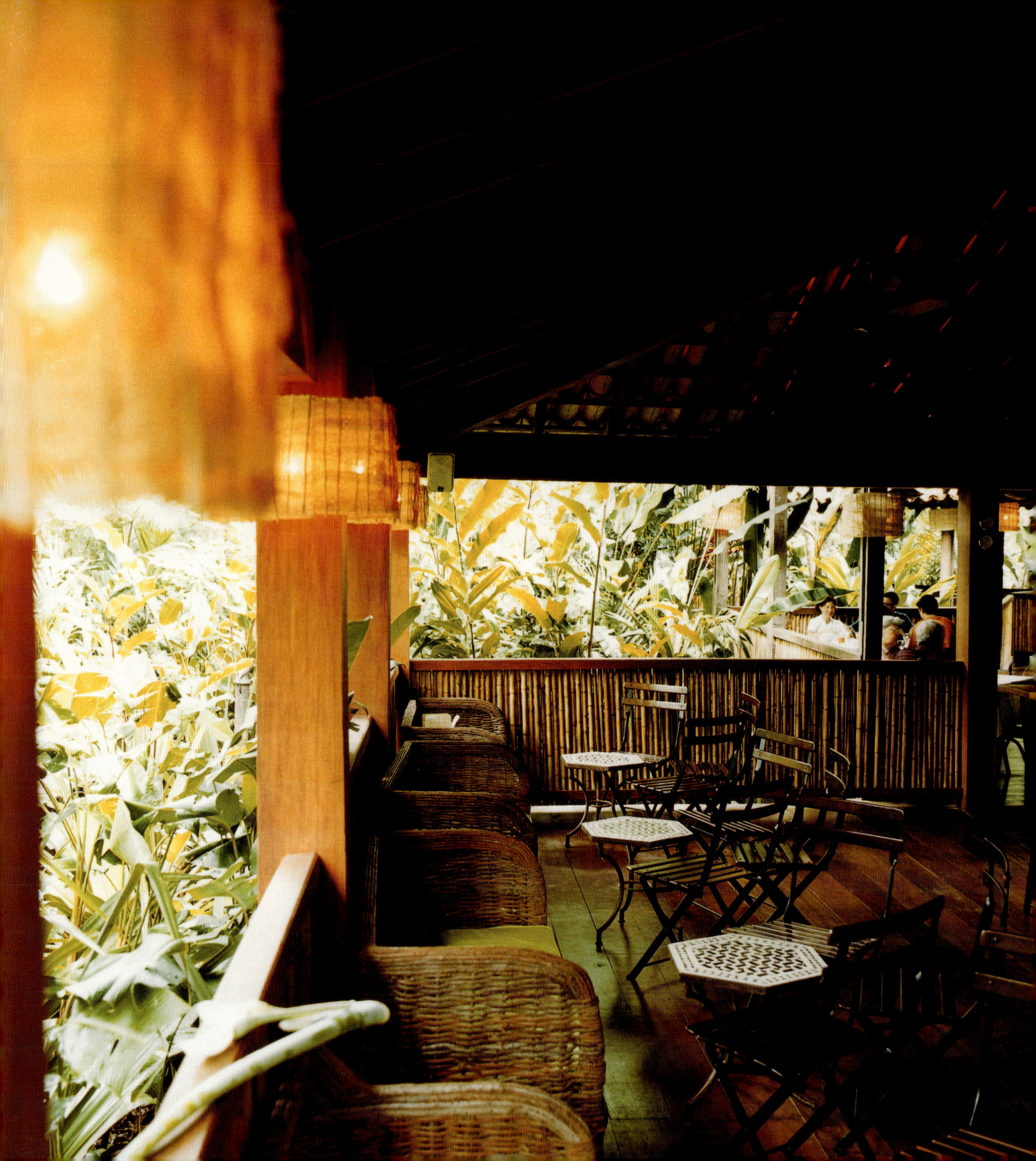

A história do Manacá começa e se confunde com a minha, como de resto todas as empresas familiares são parte da história de seus criadores.

Conheci Camburi em 1978, quando este lugar era um paraíso perdido no tempo, a 175 quilômetros de São Paulo. A natureza exuberante e quase intocada dominava tudo e todos. Os caiçaras, a seu modo, sempre foram muito cordiais e receptivos, e era em seus quartos de aluguel, onde ficávamos logo no início, e em seus bares e restaurantes que nos fartávamos com os pratos feitos de peixe fresco. As casas de veraneio de felizardos paulistanos eram raras e só ocupadas nas férias escolares.

Já naquela época, viviam aqui alguns forasteiros, que, pelas mais diversas razões, vieram para Camburi. Dentre eles, a velha turma do Sertãozinho e Camburizinho, André, Celso, Magu e Lina, Zilda e Hélio, Canadá, Celsinho, Georgeta, Gil e Vera, Omar, eu e muitos outros. Éramos uma comunidade "alternativa" e feliz.

Sem a estrada pavimentada, este lugar, tão próximo a São Paulo, permanecia isolado. Os caminhos eram péssimos; muitas praias serviam como estrada, e, não raro, ajudávamos a salvar carros engolidos pela maré. Era uma epopéia vir para "as praias", como chamavam esta costa ao sul de São Sebastião, mas éramos jovens e ávidos de emoções.

Só em 1986 a Rio-Santos foi inaugurada. Dava-se início à ocupação, cada vez mais intensa, destas lindas praias. Condomínios, pousadas e empreendimentos imobiliários foram se sucedendo, e começava a fazer sentido abrir um restaurante. Eu não tinha dinheiro nem experiência suficiente para montar um restaurante como o que o Manacá é hoje. Começamos então devagar; aos poucos, fomos aprendendo e crescendo e, fundamentalmente, pudemos errar até começar a acertar. Quinze anos depois, estou feliz com o resultado.

Em abril de 1988, inaugurei o Manacá. Naquele início, servíamos café-da-manhã e lanches. A entrada do restaurante ainda era pela trilha do Sertãozinho, que a prefeitura chamava de rua Magé. Com os olhos de hoje, montar qualquer comércio naquele lugar era insano, impensável. Mas era o terreno que eu tinha, e meu negócio precisava dar certo - não me restava opção. Por isso, começamos a pensar em alternativas e, com a ajuda de todos os amigos, abrimos um novo acesso, pela rua que, hoje, se chama Manacá. O André sugeriu as passarelas; Gil e Vera, que sempre cuidaram dos jardins do Manacá, sugeriram a van. Os amigos ajudaram a construir e lixar as mesas do quiosque. Aprendi ali a assentar uma parede de tijolos (muito torta, a bem da verdade). Era um tudo-ou-nada. E tive sorte. A região começava a crescer, e o Manacá com ela. Até hoje me lembro, emocionado, das dificuldades iniciais. Sem carro, fazia compras em Boiçucanga a pé, com cesta debaixo do braço. Quando precisava ir ao centro de São Sebastião ou São Paulo, seguia de ônibus e, na volta, escondia as compras no meio do mato e ia buscar um carrinho de mão para levá-las ao restaurante. Os amigos ajudavam muito. Carminha, Leo e tantos outros davam inúmeras caronas, e os carros vinham abarrotados. Devo muito a eles. Mas minha história não é a única: outros colegas de ofício faziam o mesmo.

No verão de 1988-9, iniciamos o restaurante com o "jeito" que ele tem hoje. Nossos primeiros clientes, aventureiros, vinham a pé ou de moto tomar um drinque; aí, voltavam para uma casquinha de siri ou uma porção de lulas; só bem depois chegavam para comer de verdade. Dessa época são Carlos, Roberto e Sofia, Charlie e Regina e seus filhos, genros, noras e amigos, desbravadores e fiéis freqüentadores até hoje, para meu orgulho.

Aprendi muito com meus clientes, ouvindo dicas, relatos e sugestões e - claro... - correndo atrás, pesquisando e comendo mundo afora, quando o dinheiro permitia. Lembro-me da primeira vez que resolvemos fazer uns camarões grelhados. Para nós, aquilo era demais!!!! Então, uma cliente perguntou: "Mas com que molho?" Ai, meu Deus, que susto! Nesse momento, aprendi algo tão fundamental como básico: molhos, fundos, caldos e caldas são indispensáveis. Em restaurantes, não podemos cozinhar tão simplesmente como se estivéssemos em casa.

Na época, eu ia a São Paulo toda semana. Fazia análise com a Anna Verônica, namorava a Wanda e aproveitava para estudar. Foram muitos os cursos do Senac que fiz e que me ajudaram a ter uma visão mais profissional do negócio. Outros tantos fiz na fabulosa escola de Wilma Kövesi. E, de resto, lia e aprendia com meus mestres de então: Melão, Emmanuel Bassoleil, Luciano Boseggia e Manoel Beato. Sou muito grato a eles pelo carinho e entusiasmo com que me ajudaram.

Outro problema enorme naqueles anos era mão-de-obra. Simplesmente não existia, aqui no litoral, ninguém com um mínimo de conhecimento ou formação. A mão-de-obra era rara e cara. Portanto, tornava-se imperioso formar todos os nossos colaboradores, e foi o que fizemos. Incentivamos muitos a freqüentarem cursos e estágios no Senac, única escola de hotelaria no final dos anos 80 e início dos 90. Treinamos muito e conseguimos formar uma equipe adorável, motivada e orgulhosa de trabalhar no Manacá. Essa talvez tenha sido minha maior conquista.

Aquela busca por informação impulsionou enormemente o restaurante, e fizemos progressos criando um conceito claro de satisfação total de nossos clientes. Queríamos e ainda queremos encantá-los, e isso não é simples nem fácil de fazer, mas é cada vez mais necessário.

Em 1991, eu me casei com a Wanda, e ela, no início a contragosto, veio progressivamente trabalhar comigo. Com isso, o Manacá ganhou organização, método e disciplina. Sem ela, o restaurante provavelmente teria sucumbido nas épocas adversas, que não foram poucas.

A partir de então, crescemos com rapidez e sucesso. Os clientes vinham, retornavam e indicavam aos amigos; não fazíamos e não fazemos publicidade. O boca-a-boca era nosso maior trunfo.

No início dos anos 90, o Brasil, sobretudo São Paulo, vivia uma efervescência gastronômica. Com a "abertura dos portos", passamos a receber ingredientes e vinhos de todo o mundo. Nunca experimentamos tantas novidades. Também surgia prestigiada a figura do chef, principalmente do estrangeiro, que nos alertou para a importância, até então não-reconhecida, dos homens e mulheres da cozinha. E enfim começava a aparecer no cenário o sommelier, ilustre desconhecido entre nós. Embarcamos na euforia da nova cozinha no Brasil. Luciano Boseggia, Emmanuel Bassoleil, Melão, Erick Jacquin e outros vieram fazer festivais no Manacá. Manoel Beato elaborou nossa primeira carta de vinhos. Incentivávamos a busca de informações e experimentos. Minha equipe e eu fomos nos envolvendo com o universo gastronômico, cada vez mais, e isso foi vital para o sucesso do Manacá.

Durante esses quinze anos, fomos aprendendo com franceses, italianos, espanhóis e japoneses, como de resto toda São Paulo, com sua cozinha dos imigrantes. Uma felicidade e uma oportunidade raras. Mas não nos esquecemos de nossas raízes, das muitas culinárias regionais brasileiras, da cozinha caiçara, baiana e, claro, mineira. Para mim, essas múltiplas culinárias representam um feliz universo de referência. Minha cozinha representa este percurso: o de um mineiro de origem rural que estudou e viveu em São Paulo e descobriu o mar e sua sofisticada simplicidade.

Sou um homem feliz, mais feliz agora do que fui em qualquer outro tempo. Aproveitei algumas chances que tive e sou grato a São Sebastião e, em particular, a Camburi, terra que me recebeu de braços abertos e onde pude realizar meus sonhos, construir minha família e celebrar a vida com os amigos. Espero poder retribuir a esta terra acolhedora com uma parte do muito que ela me deu.

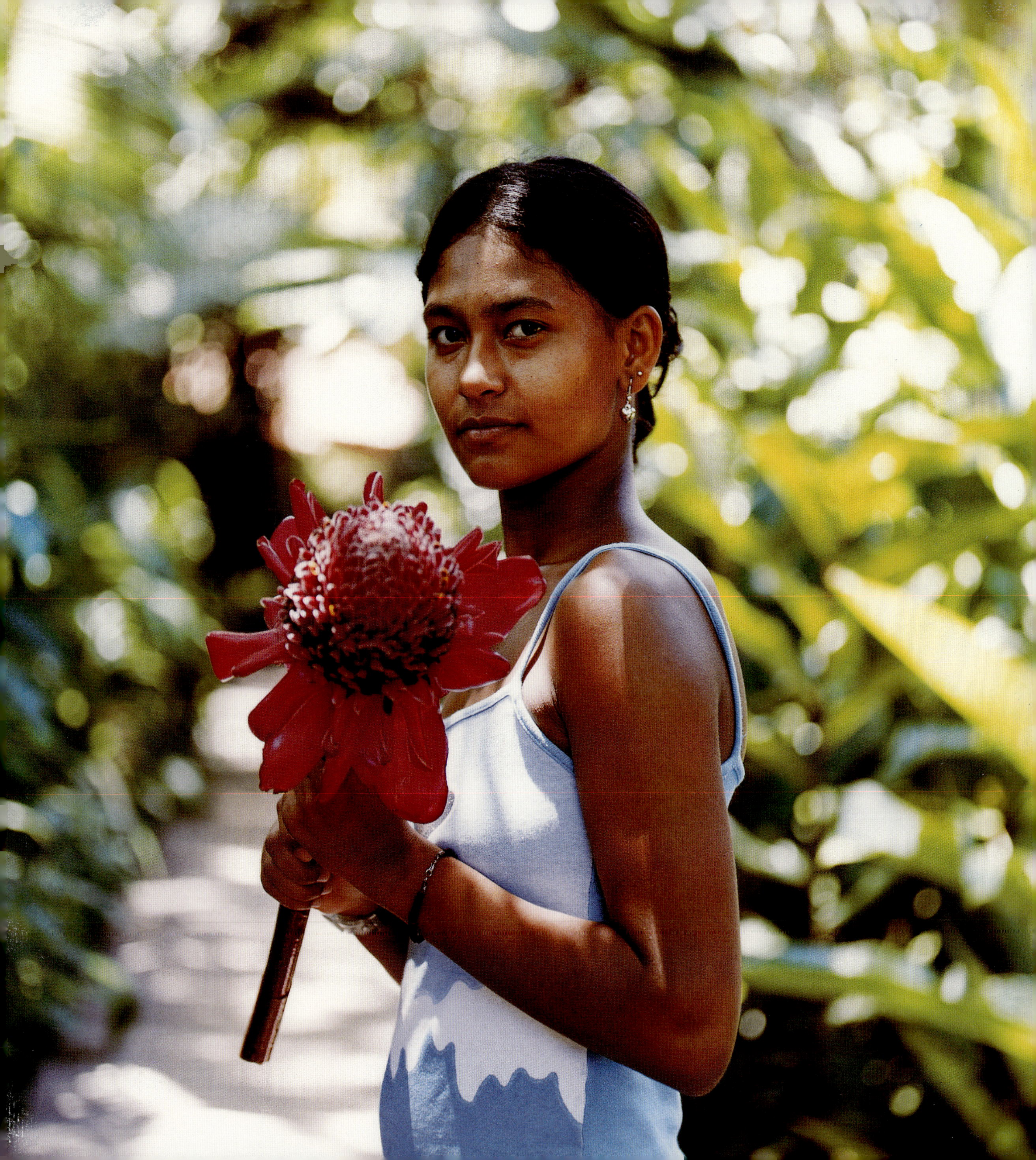

peixes

Tartare de atum e salmão com caviar e creme de raiz-forte *2 a 4 pessoas*

INGREDIENTES

Para o atum
200 g de filé de atum fresco
2 colheres (sopa) de shoyu
1/2 colher (chá) de suco de limão
2 colheres (chá) de manjericão picado
4 colheres (sopa) de azeite de oliva extravirgem
sal e pimenta-do-reino

Para o salmão
200 g de filé de salmão fresco
raspas de casca de 1/2 limão-siciliano
4 colheres (sopa) de azeite de oliva extravirgem
1/2 colher (sopa) de ciboulette picada
sal e pimenta-do-reino

Para o creme de raiz-forte
4 colheres (sopa) de creme de leite fresco
1 colher (chá) de pasta de raiz-forte

Para o vinagrete
4 colheres (sopa) de azeite de oliva extravirgem
1/2 colher (sopa) de suco de limão
sal e pimenta-do-reino

Para acompanhar
4 colheres (chá) de ovas de lompas pretas
4 colheres (chá) de ovas de salmão
10 folhas de manjericão
1/2 colher (chá) de salsinha muito bem picada

MODO DE PREPARAR

Peixes
CORTE OS FILÉS DE ATUM E DE SALMÃO EM CUBOS BEM PEQUENOS E TEMPERE-OS COM SEUS RESPECTIVOS INGREDIENTES.

Creme de raiz-forte
MISTURE O CREME DE LEITE COM A PASTA DE RAIZ-FORTE E BATA ATÉ ENGROSSAR. RESERVE EM GELADEIRA.

Vinagrete
MISTURE TODOS OS INGREDIENTES E RESERVE.

MONTAGEM

COM A AJUDA DE UM ARO DE INOX DE APROXIMADAMENTE 4 CM DE DIÂMETRO POR 6 CM DE ALTURA, DISPONHA O ATUM NO CENTRO DE CADA PRATO E, SOBRE ELE, O SALMÃO. POR CIMA, COLOQUE AS OVAS PRETAS. EM VOLTA, DISPONHA O CREME DE RAIZ-FORTE E DESPEJE O VINAGRETE E AS OVAS DE SALMÃO. DECORE COM AS FOLHAS DE MANJERICÃO, SALPIQUE COM A SALSINHA E SIRVA BEM FRIO.

Atum e salmão são peixes untuosos e, por isso mesmo, macios. Temperados diferentemente e ligados pelo creme de raiz-forte e caviar, este tartare é uma ótima entrada, elegante e de muito frescor. A dica de usar raspas de limão siciliano para temperar o salmão foi dada por Jum Sakamoto, e se comprovou maravilhosa.

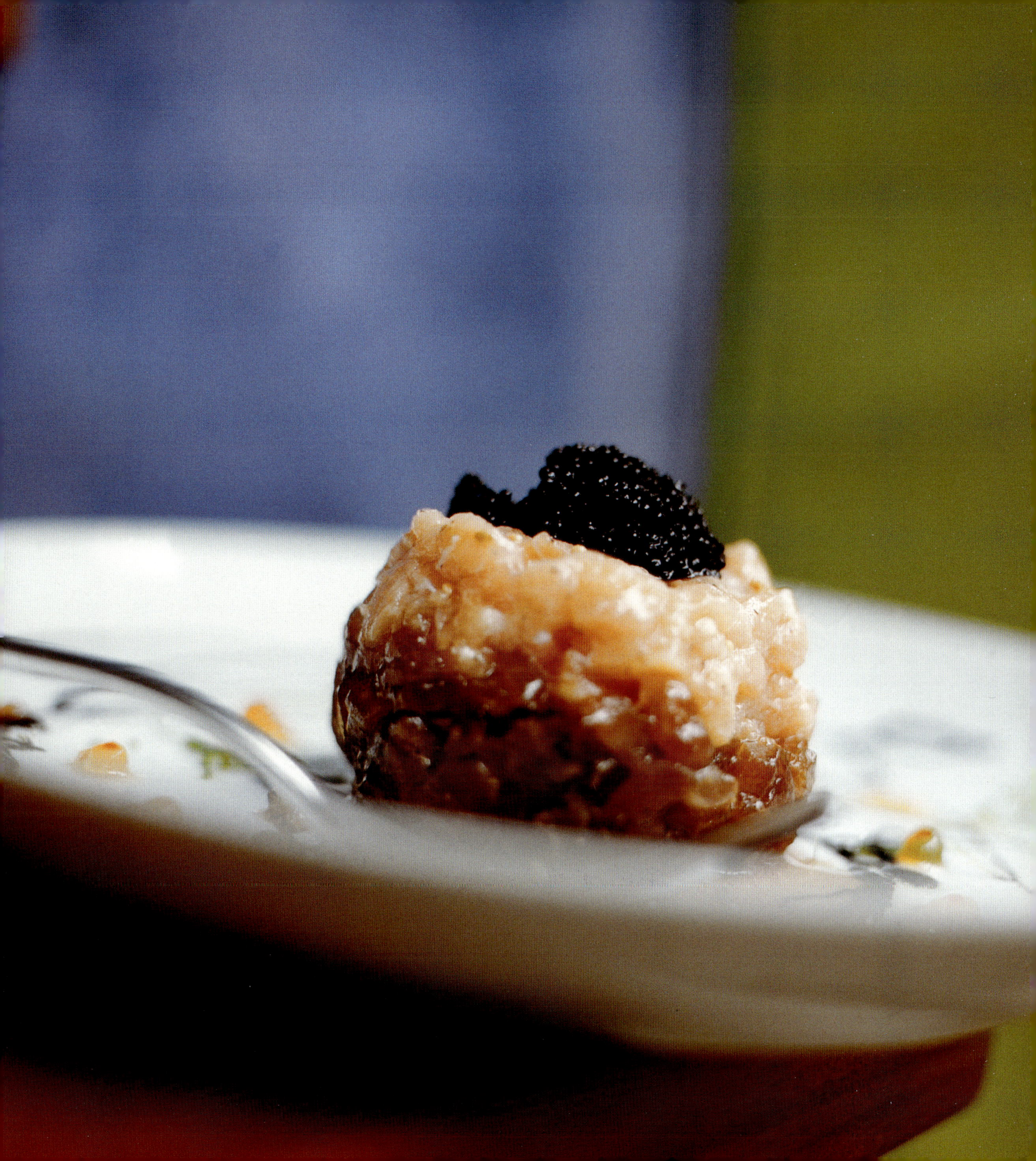

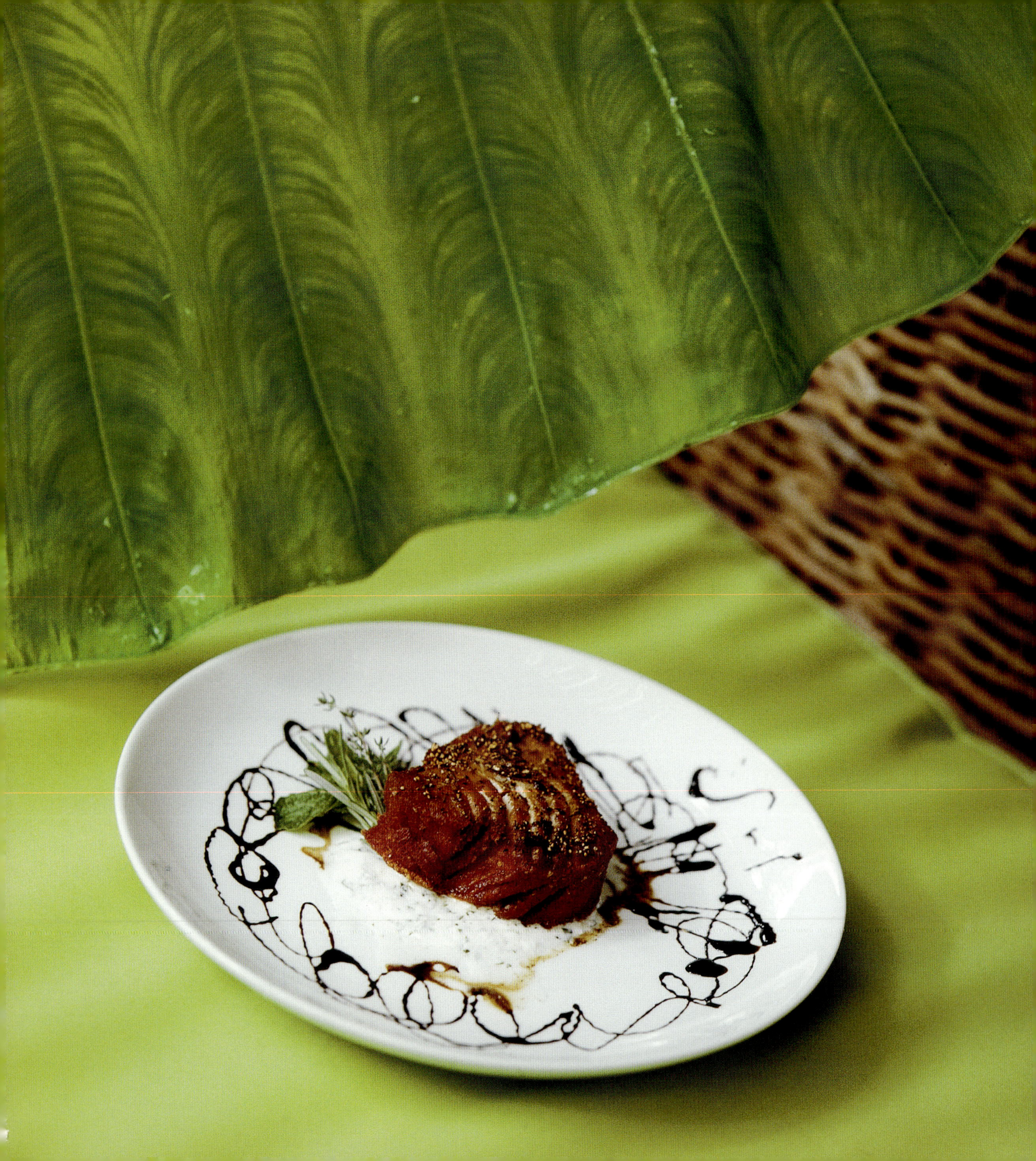

Atum à Mandacaru — 4 pessoas

INGREDIENTES

600 g de lombo de atum fresco
1 colher (chá) de tomilho fresco picado
1 colher (chá) de alecrim fresco picado
1 colher (chá) de salsinha picada
350 ml de vinagre balsâmico
200 g de iogurte natural
1 colher (sopa) de folhas de hortelã
1 colher (sopa) de azeite de oliva
sal
pimenta-do-reino quebrada em pedaços grandes
óleo de milho para fritar

MODO DE PREPARAR

CORTE O LOMBO DE ATUM EM POSTAS GROSSAS, SALPIQUE COM SAL, PIMENTA E AS ERVAS (MENOS A HORTELÃ) E RESERVE. COLOQUE O VINAGRE BALSÂMICO NUMA PANELA E LEVE AO FOGO. REDUZA A 1/3 DO VOLUME INICIAL ATÉ QUE FIQUE EM PONTO DE CALDA RALA. RESERVE.
BATA NO LIQUIDIFICADOR O IOGURTE, AS FOLHAS DE HORTELÃ E O AZEITE, MAIS SAL E PIMENTA A GOSTO.
FRITE AS POSTAS DE ATUM EM ÓLEO DE MILHO POR 2 MINUTOS DE CADA LADO, PARA QUE FIQUE AO PONTO OU A GOSTO. SE PREFERIR, GRELHE EM FRIGIDEIRA ANTIADERENTE.

MONTAGEM

DISPONHA O MOLHO DE IOGURTE NO CENTRO DE PRATOS INDIVIDUAIS, OU NUMA TRAVESSA, FORMANDO UMA "CAMA". SOBRE ELA, ARRUME AS POSTAS DE ATUM E, EM MOVIMENTOS CIRCULARES, DESPEJE O CARAMELO DE VINAGRE BALSÂMICO.

Esse prato, de sabor marcante, é ótimo para o verão. O contraste do sabor picante da pimenta-do-reino com o frescor do iogurte e da hortelã, mais o estimulante do caramelo de vinagre balsâmico, dá ao atum, quase cru, uma vitalidade fabulosa.
No Brasil, quem primeiro usou o atum com ervas, pimenta e vinagre balsâmico foi Emmanuel Bassoleil, mas quem me falou de caramelo de vinagre foi Reinaldo Mandacaru, fotógrafo e amigo, sempre atento a novidades. Por isso, dei seu nome a esse prato.

Tartare de carapau com maçã verde e caviar | 1 pessoa

INGREDIENTES

120 g de carne de carapau fresco
1/4 de maçã verde
suco de 1/2 de limão
1/2 colher (sopa) de shoyu
1 colher (sopa) de azeite de oliva extravirgem
100 ml de creme de leite fresco
1/2 colher (chá) de raiz-forte fresca ralada ou wasabi
1 colher (chá) de caviar
minifolhas para decorar

MODO DE PREPARAR

LIMPE O CARAPAU E RETIRE TODA A PELE E O "SANGUE PISADO" (PARTE MAIS ESCURA, DE GOSTO MUITO FORTE). CORTE EM CUBOS BEM PEQUENOS E MANTENHA NA GELADEIRA ATÉ O MOMENTO DE SERVIR. CORTE A MAÇÃ EM CUBINHOS COMO O CARAPAU E CONSERVE EM ÁGUA COM SUCO DE LIMÃO NA GELADEIRA. NUMA VASILHA À PARTE, ADICIONE ALGUMAS GOTAS DE SUCO DE LIMÃO AO SHOYU. NA HORA DE SERVIR, MISTURE TUDO: OS CUBINHOS DE CARAPAU E MAÇÃ, O SHOYU E O AZEITE.
NUMA OUTRA VASILHA, MISTURE O CREME DE LEITE E A RAIZ-FORTE E BATA ATÉ FORMAR UM CREME ESPESSO COMO CHANTILLY.
NO CENTRO DE PRATOS INDIVIDUAIS, COLOQUE UM ARO DE INOX E PREENCHA-O COM OS CUBINHOS DE CARAPAU E MAÇÃ. RETIRE O ARO E, SOBRE O TARTARE, DISPONHA O CREME DE RAIZ-FORTE E O CAVIAR. AO LADO, MONTE UMA PEQUENA E DELICADA SALADA TEMPERADA COM SAL, LIMÃO, PIMENTA-DO-REINO E AZEITE DE OLIVA EXTRAVIRGEM. SIRVA FRIO, COMO ENTRADA.

O carapau é um peixe muito abundante no litoral de São Paulo durante os meses mais quentes. É necessário tirar aquele "sangue pisado". A consistência é firme e o sabor levemente doce. O carapau pode substituir o atum em muitas situações e com vantagem, se pensamos no custo.

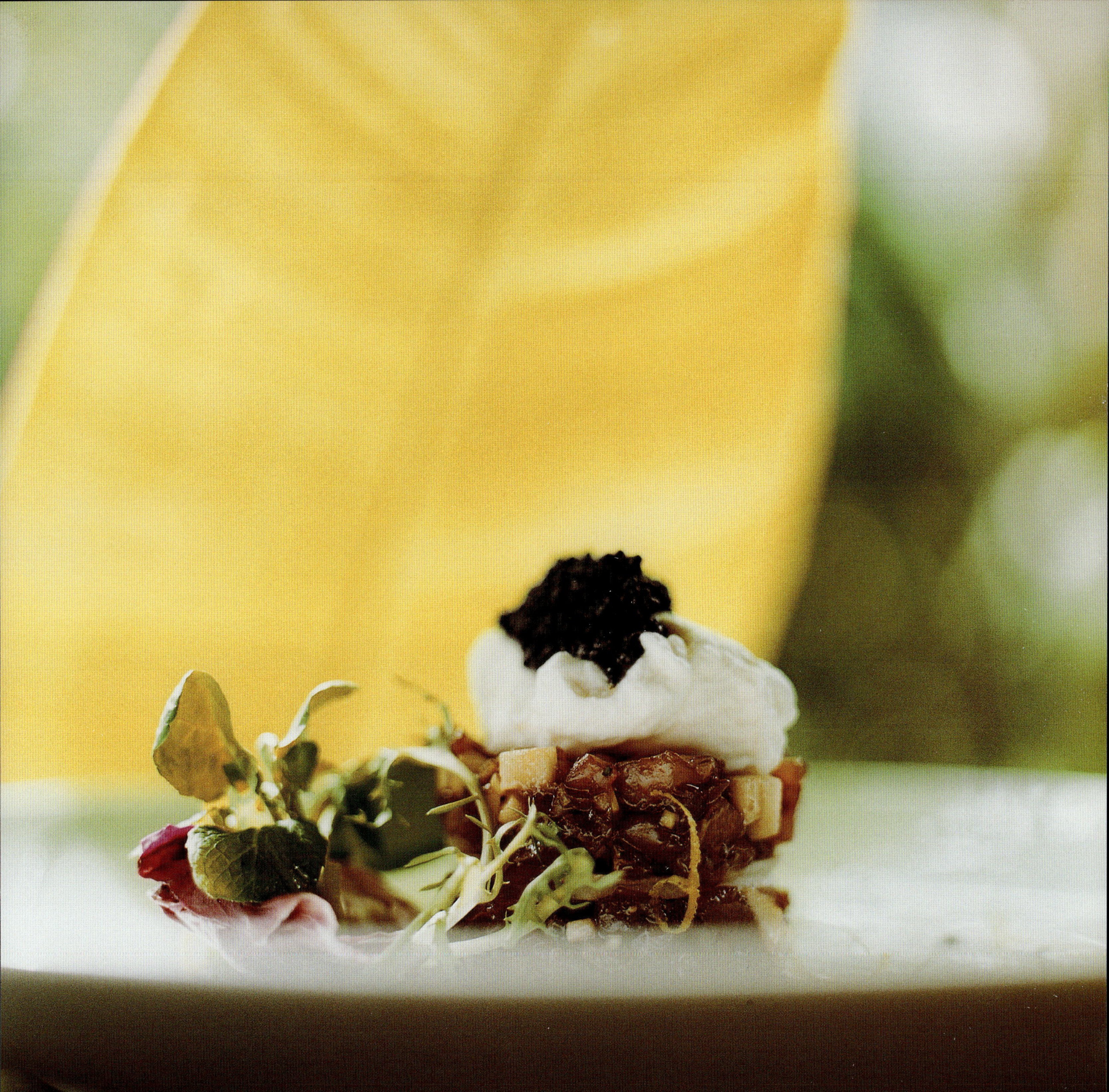

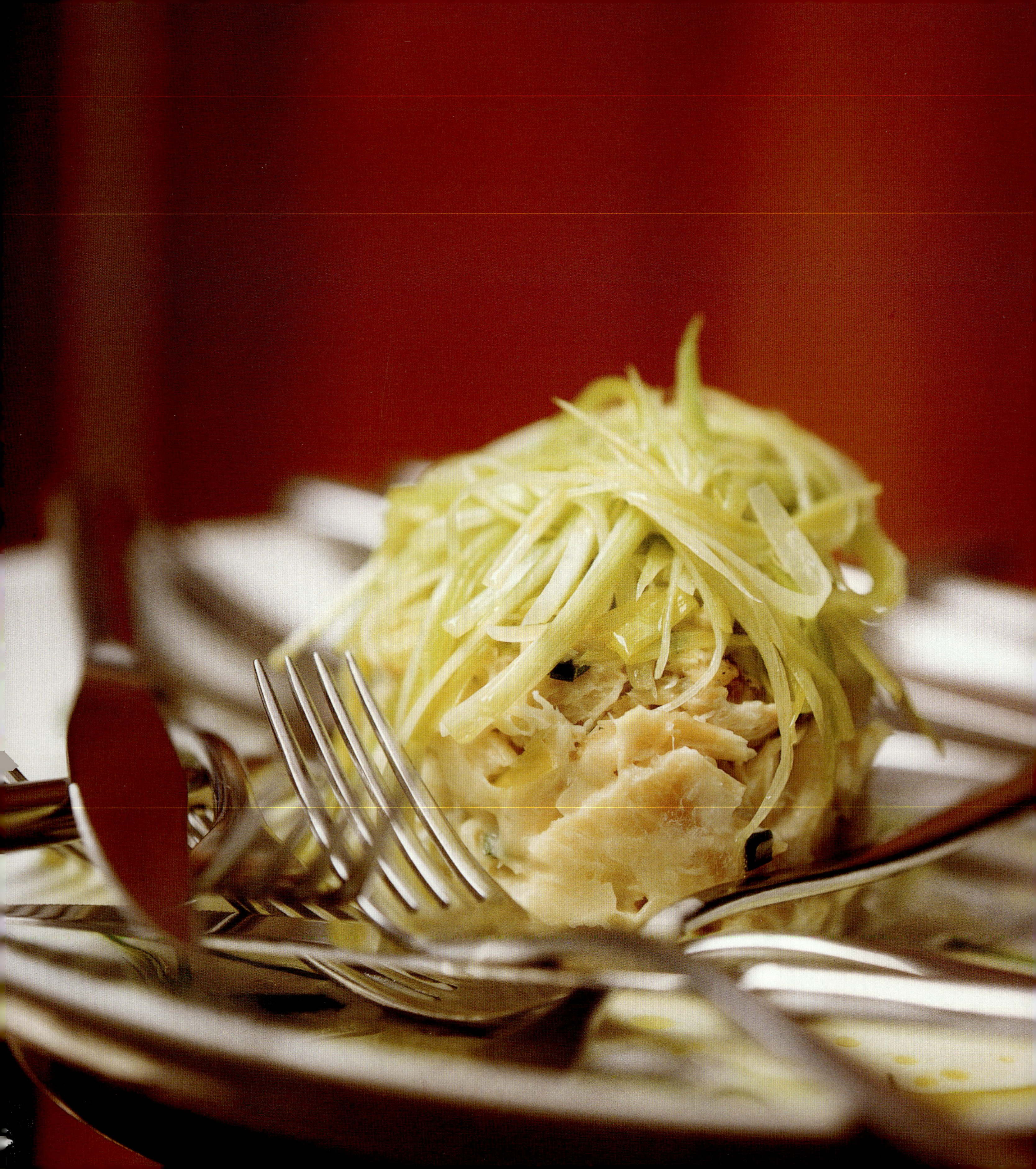

Bacalhau com alho-poró e batata-doce — 4 pessoas

INGREDIENTES

Para o bacalhau
400 g de batata-doce
2 alhos-porós
1 cebola média
1 colher (sopa) de manteiga
500 g de bacalhau dessalgado em lascas
4 colheres (sopa) de iogurte natural
400 ml de creme de leite fresco
100 ml de óleo de milho
sal e pimenta-do-reino

Para decorar
1 colher (chá) de salsinha muito bem picada
azeite de oliva

MODO DE PREPARAR

ASSE A BATATA-DOCE EM FORNO BAIXO (160ºC) POR APROXIMADAMENTE 40 MINUTOS, OU ATÉ QUE FIQUE MACIA. DESCASQUE E AMASSE BEM ATÉ OBTER UM PURÊ FIRME. RESERVE.
CORTE BEM FINAMENTE A PARTE BRANCA DE 1 ALHO-PORÓ E A CEBOLA E REFOGUE NA MANTEIGA. JUNTE O BACALHAU, O IOGURTE E O CREME DE LEITE. REFOGUE POR MAIS 5 MINUTOS, ACERTE COM SAL E PIMENTA E RESERVE.
CORTE O OUTRO ALHO-PORÓ EM TIRAS FINAS E COMPRIDAS E FRITE-AS RAPIDAMENTE NO ÓLEO QUENTE ATÉ MURCHAREM, MAS SEM DEIXAR DOURAR.

MONTAGEM

COM AJUDA DE UM ARO DE INOX, DISPONHA NO CENTRO DE CADA PRATO O PURÊ DE BATATA-DOCE (APROXIMADAMENTE 2 DEDOS DE ALTURA) E COLOQUE O BACALHAU SOBRE ELES. RETIRE O ARO E, POR CIMA DE TUDO, ARRUME O ALHO-PORÓ. DECORE COM O AZEITE E A SALSINHA.

Esse é um prato de enorme sucesso no Manacá. A contraposição do gosto salgado do bacalhau com a doce delicadeza da batata e com a textura do alho-poró confere força e equilíbrio ao prato.

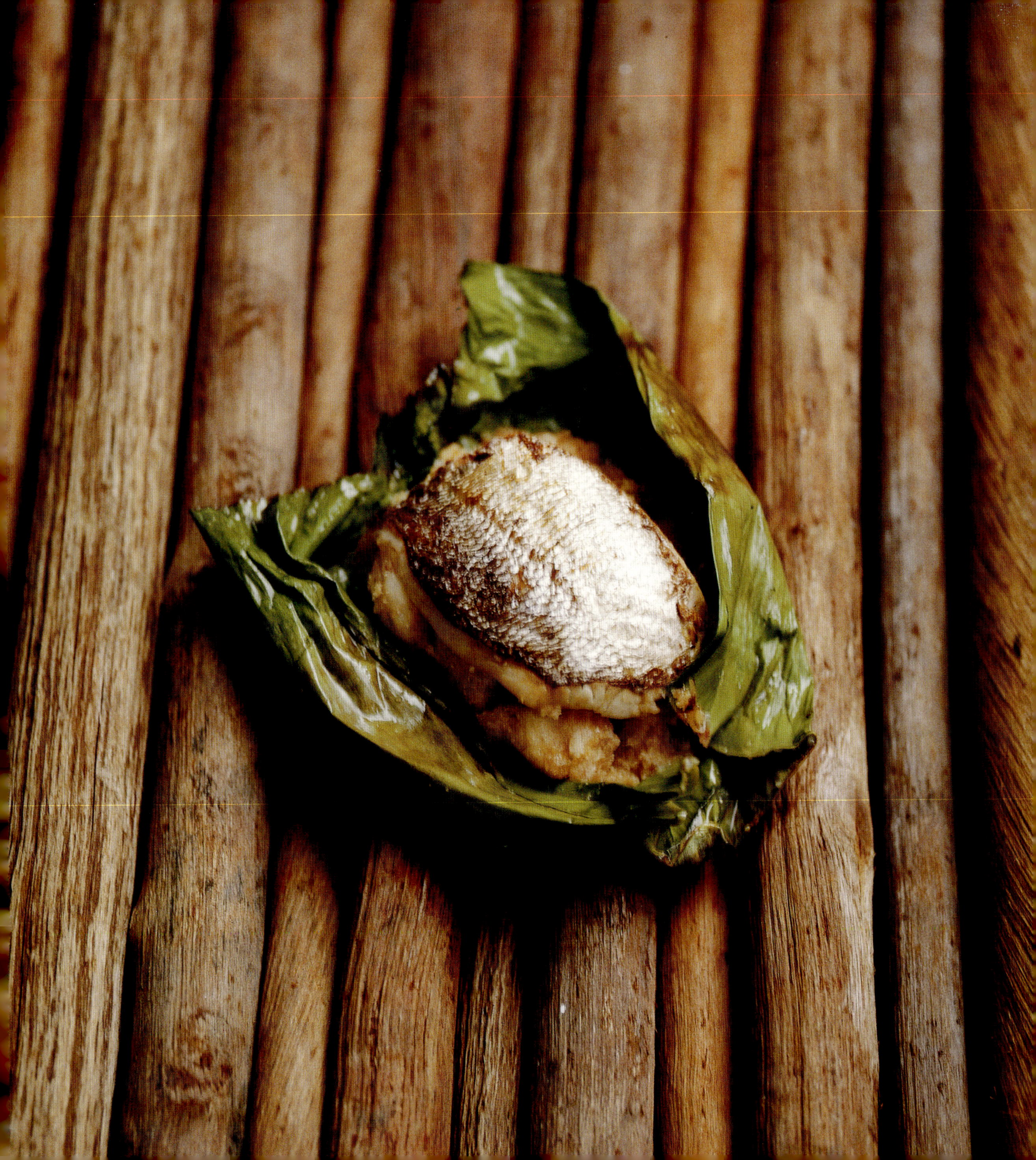

Papillote de robalo em folha de bananeira com farofa de camarão, banana e alcaparras — 4 pessoas

INGREDIENTES

Para o recheio
4 colheres (sopa) de manteiga
1 alho-poró em tiras finas
1 cebola média ralada
3 tomates sem pele em cubos
1 pimentão vermelho em 4 partes
1 folha de louro
2 colheres (sopa) de alcaparra
6 camarões-rosa limpos e picados
1 colher (sopa) de salsinha picada
1 colher (sopa) de cebolinha picada
1 xícara (aproximadamente) de farinha de mandioca
2 bananas-nanicas
sal e pimenta-do-reino

Para o peixe
4 filés de robalo (200 g cada)
suco de 1/2 limão
2 colheres (sopa) de azeite de oliva extravirgem
folhas de bananeira
sal e pimenta-do-reino

MODO DE PREPARAR

Recheio
NUMA PANELA, COLOQUE A MANTEIGA E REFOGUE O ALHO-PORÓ E A CEBOLA ATÉ FICAREM DOURADOS. JUNTE OS TOMATES, O PIMENTÃO, A FOLHA DE LOURO, A ALCAPARRA, O SAL E A PIMENTA E COZINHE POR 5 MINUTOS. ACRESCENTE OS CAMARÕES E REFOGUE POR MAIS 2 MINUTOS. JUNTE A SALSINHA E A CEBOLINHA E, AOS POUCOS, ACRESCENTE A FARINHA DE MANDIOCA ATÉ OBTER UMA FAROFA BEM ÚMIDA. CORTE AS BANANAS EM RODELAS E MISTURE TUDO.

Peixe
CORTE OS FILÉS AO MEIO E TEMPERE COM GOTAS DE SUCO DE LIMÃO, SAL E PIMENTA. CORTE A FOLHA DE BANANEIRA EM PEDAÇOS DE APROXIMADAMENTE 30 CM DE LADO E UNTE-OS COM AZEITE. NO CENTRO DE CADA FOLHA, COLOQUE 1 FILÉ DE ROBALO, DISPONHA UM POUCO DA FAROFA EM CIMA E, POR FIM, COLOQUE OUTRO FILÉ, FORMANDO UMA ESPÉCIE DE SANDUÍCHE. DOBRE AS SOBRAS DA FOLHA SOBRE O CENTRO E FECHE O PAPILLOTE. LEVE PARA GRELHAR NUMA CHAPA, CHURRASQUEIRA OU FRIGIDEIRA POR APROXIMADAMENTE 15 MINUTOS. SIRVA ACOMPANHADO DE ARROZ BRANCO.

Inspirado em receita tradicional brasileira, o peixe ao borralho era originariamente assado debaixo de fogueiras ou nas cinzas do fogão a lenha (donde o borralho) e servido inteiro. É um prato excelente para um almoço informal e pode ser feito com sucesso em churrasqueira. Além do robalo, pode-se usar namorado ou cherne.
Foi Lina Borges, cozinheira e amiga, quem pela primeira vez fez este prato no Manacá.

Budião ao creme de iogurte e legumes 4 pessoas

INGREDIENTES

Para o creme de iogurte
1 colher (sopa) de azeite de oliva extravirgem
1 dente de alho
1/2 cebola ralada
3 talos de salsão picados
1 1/2 xícara de iogurte natural
2 xícaras de creme de leite fresco
1 colher (sopa) de hortelã picada
sal e pimenta-do-reino

Para os legumes
1 chuchu em cubinhos
2 cenouras em pedaços bem pequenos
4 talos de salsão em pedaços bem pequenos
sal

Para o budião
4 filés de budião-azul (180 g cada)
1 colher (sopa) de azeite de oliva
sal e pimenta-do-reino

MODO DE PREPARAR

Creme de iogurte
NUMA PANELA, COLOQUE O AZEITE E REFOGUE O ALHO, A CEBOLA E O SALSÃO EM FOGO MÉDIO ATÉ QUE ESTEJAM BEM COZIDOS. ACRESCENTE O IOGURTE E O CREME DE LEITE E FERVA. TEMPERE COM SAL E PIMENTA. JUNTE A HORTELÃ E BATA TUDO NO LIQUIDIFICADOR. COLOQUE NOVAMENTE NA PANELA, LEVE AO FOGO PARA AQUECER E RESERVE.

Legumes
NUMA PANELA COM ÁGUA E SAL, COZINHE PRIMEIRO O CHUCHU, DEPOIS A CENOURA E POR FIM O SALSÃO, TOMANDO O CUIDADO PARA QUE FIQUEM AL DENTE.

Budião
TEMPERE OS FILÉS DE PEIXE COM SAL E PIMENTA E LEVE PARA GRELHAR NO AZEITE EM FRIGIDEIRA ANTIADERENTE.

MONTAGEM

EM PRATOS INDIVIDUAIS, COLOQUE O CREME DE IOGURTE. SOBRE ELE, ARRUME OS LEGUMES E, POR CIMA, O BUDIÃO GRELHADO.

O budião do litoral paulista é um peixe de consistência delicada e sabor suave, dos melhores utilizados em nossa culinária. O molho de iogurte dá ao prato delicadeza, suavidade e frescor e o torna ideal para o verão.

Arroz de bacalhau 4 pessoas

INGREDIENTES

600 g de bacalhau
3 tomates grandes sem pele picados
3 dentes de alho picados
200 ml de azeite de oliva extravirgem
500 g de arroz
1/2 alho-poró picado
1 cebola picada
3 cebolinhas (parte branca) em pedaços
1 colher (sopa) de pimentão verde bem picado
1 colher (sopa) de pimentão vermelho bem picado
1 colher (sopa) de pimentão amarelo bem picado
3 talos de cebolinha-verde bem picados
4 colheres (sopa) de azeitonas verdes em lascas
sal e pimenta-do-reino

MODO DE PREPARAR

RETIRE A PELE DO BACALHAU. NUMA VASILHA, COLOQUE DE MOLHO O BACALHAU E A PELE PARA DESSALGAR. ESCALDE EM ÁGUA QUENTE ATÉ QUE O SAL ESTEJA NO PONTO. RESERVE A ÚLTIMA ÁGUA EM QUE FOI ESCALDADO.

REFOGUE RAPIDAMENTE OS TOMATES COM OS DENTES DE ALHO EM 50 ML DE AZEITE, ATÉ ESTAREM COZIDOS MAS SEM FORMAR MOLHO. TEMPERE COM PIMENTA.

PREPARE O ARROZ DA MANEIRA CONVENCIONAL, REFOGADO COM ALHO E SEM DEIXAR COZINHAR MUITO. RESERVE.

COM O RESTANTE DO AZEITE, REFOGUE O ALHO-PORÓ, A CEBOLA, A CEBOLINHA E OS PIMENTÕES. JUNTE O BACALHAU JÁ DESFIADO E REFOGUE UM POUCO. ACRESCENTE A CEBOLINHA-VERDE E DEPOIS O ARROZ E O REFOGADO DE TOMATE. VÁ ADICIONANDO AOS POUCOS A ÁGUA DO BACALHAU, PARA QUE TODOS OS SABORES SE MISTUREM SEM QUE O ARROZ COZINHE DEMAIS. POR FIM, JUNTE AS LASCAS DE AZEITONA VERDE. SIRVA IMEDIATAMENTE REGADO COM AZEITE DE OLIVA EXTRAVIRGEM.

Esse prato rústico e simples é muito pedido no restaurante. Ultimamente eu o tenho servido acompanhado de banana-nanica ou banana-da-terra assada. A sugestão da mistura de banana e bacalhau é contribuição da minha sogra, d. Wanda, que a usa sempre em suas bacalhoadas.

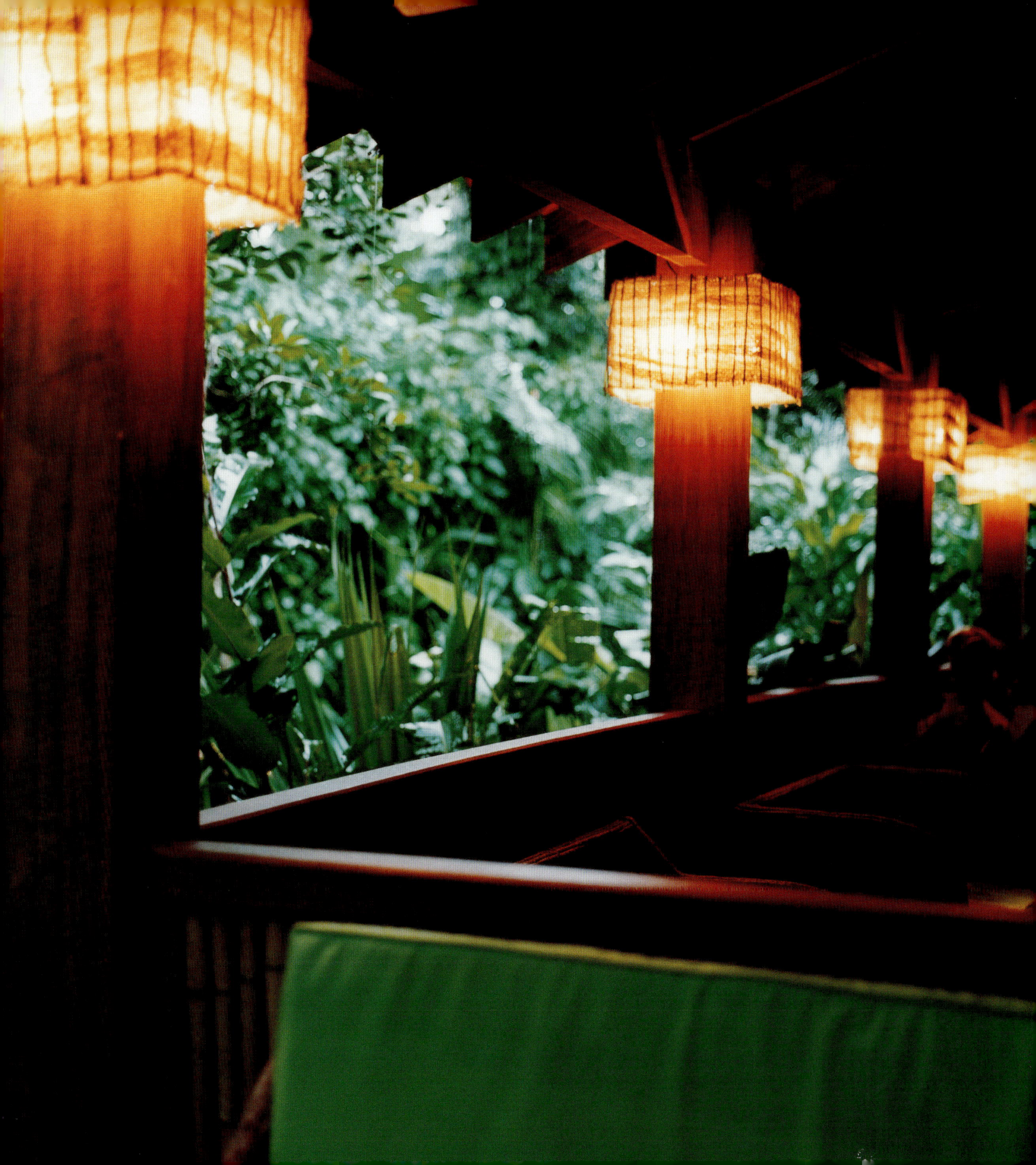

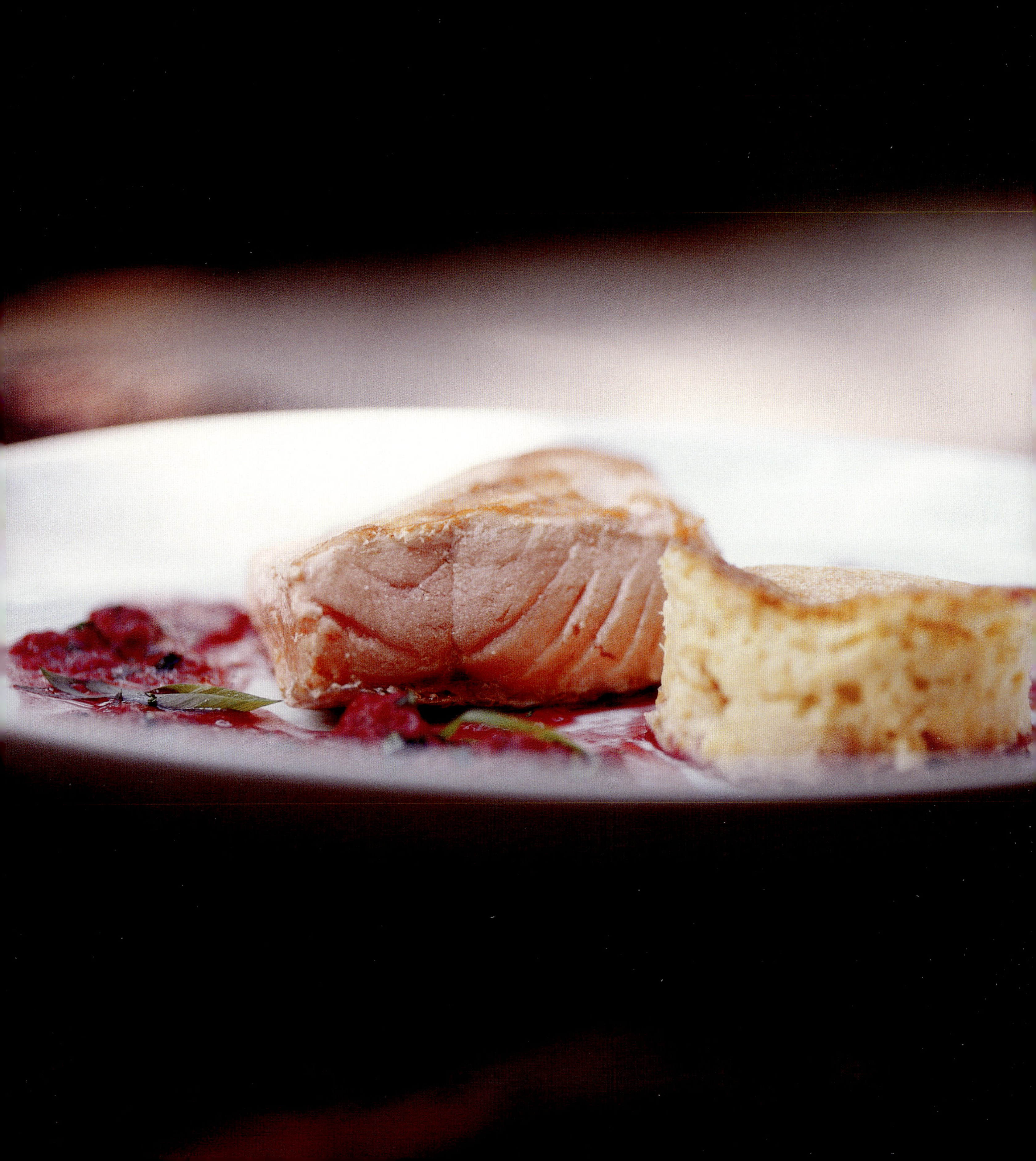

Salmão grelhado com bolo de milho verde e vinagrete de framboesa 4 pessoas

INGREDIENTES

Para o bolo de milho
1 xícara de milho fresco
1 xícara de leite
1/2 xícara de açúcar
1 colher (sopa) de manteiga
1 pitada de sal
2 ovos
1 colher (sopa) de farinha de trigo
1 xícara de queijo-de-minas meia-cura ralado
1 colher (chá) de fermento em pó
300 g de queijo-de-minas fresco (ou o suficiente para cobrir toda a massa)

Para o vinagrete
2 cebolas em cubinhos
12 colheres (sopa) de azeite de oliva extravirgem
1 tomate verde sem pele e sem sementes em cubinhos
2 colheres (sopa) de vinagre de framboesa
2 colheres (sopa) de framboesa
1 colher (sopa) de salsinha
1 colher (sopa) de manjericão
sal e pimenta-do-reino

Para o salmão
4 filés de salmão (200 g cada)
1 colher (sopa) de azeite de oliva extravirgem
sal e pimenta-do-reino

MODO DE PREPARAR

Bolo
BATA NO LIQUIDIFICADOR TODOS OS INGREDIENTES, MENOS O FERMENTO EM PÓ E O QUEIJO-DE-MINAS FRESCO. JUNTE O FERMENTO, MISTURE E DESPEJE EM 4 A 6 FÔRMAS INDIVIDUAIS DE 8 CM DE DIÂMETRO UNTADAS E ENFARINHADAS. CUBRA COM O QUEIJO-DE-MINAS FRESCO E ASSE EM FORNO PREAQUECIDO MÉDIO (180ºC) POR CERCA DE 40 MINUTOS.

Vinagrete
REFOGUE A CEBOLA EM 2 COLHERES (SOPA) DO AZEITE ATÉ FICAR TRANSPARENTE. DESLIGUE O FOGO E ACRESCENTE O TOMATE E OS DEMAIS INGREDIENTES (NÃO ESQUEÇA DO RESTANTE DO AZEITE). RESERVE.

Salmão
TEMPERE OS FILÉS COM SAL E PIMENTA E LEVE PARA GRELHAR EM FRIGIDEIRA ANTIADERENTE COM AZEITE ATÉ QUE ESTEJAM AO PONTO.

MONTAGEM

NO CENTRO DE PRATO INDIVIDUAIS, ARRUME OS FILÉS AO LADO DE PEDAÇOS DE BOLO. EM VOLTA, DESPEJE O VINAGRETE DE FRAMBOESA.

Substitua as framboesas por acerolas frescas sem caroço e você terá um salmão bem brasileiro. Esse bolo de milho verde é uma tradicional receita de família, só que com mais açúcar, usada para acompanhar carnes de porco ou um simples café. Sirva o salmão sempre ao ponto. Muito passado ele perde a sua maciez.

Vermelho ao molho de lulas, tomates frescos e manjericão com blend de arroz selvagem e berinjela ao mel — 4 pessoas

INGREDIENTES

Para o arroz
2 xícaras de arroz selvagem
1 cebola
3 dentes de alho
2 xícaras de arroz branco

Para o molho
2 colheres (sopa) de azeite de oliva
500 g de tomates maduros sem pele e sem sementes em cubinhos
1/2 colher (sopa) de alho picado
8 lulas médias limpas em anéis
suco de 1 limão
folhas de manjericão em tiras bem finas
sal e pimenta-do-reino

Para a berinjela
500 ml de mel
500 g de berinjela em cubos

Para o vermelho
700 g de filé de vermelho
1 colher (sopa) de azeite de oliva
sal e pimenta-do-reino

MODO DE PREPARAR

Arroz
COZINHE O ARROZ SELVAGEM COM POUCO SAL, MAIS A CEBOLA INTEIRA E 2 DENTES DE ALHO. À PARTE, FAÇA UM ARROZ BRANCO COM O DENTE DE ALHO RESTANTE. MISTURE OS DOIS TIPOS DE ARROZ E RESERVE.

Molho
NUMA PANELA, COLOQUE 1 COLHER (SOPA) DO AZEITE E REFOGUE O TOMATE. ACRESCENTE O ALHO E FERVA EM FOGO ALTO. TEMPERE A LULA COM O SUCO DE LIMÃO, O SAL E A PIMENTA E A REFOGUE NO AZEITE RESTANTE POR 3 MINUTOS. JUNTE O MOLHO DE TOMATE E DEIXE APURAR EM FOGO FORTE. APÓS 4 MINUTOS, ACRESCENTE O MANJERICÃO E DESLIGUE O FOGO. REGUE COM UM FIO DE AZEITE E RESERVE.

Berinjela
COLOQUE O MEL NUMA PANELA E LEVE AO FOGO PARA AQUECER. "FRITE" AS BERINJELAS NO MEL ATÉ FICAREM TRANSPARENTES. RESERVE.

Vermelho
TEMPERE OS FILÉS COM SAL E PIMENTA E LEVE PARA GRELHAR NO AZEITE EM FRIGIDEIRA ANTIADERENTE.

MONTAGEM

EM PRATOS INDIVIDUAIS, COLOQUE 2 COLHERES (SOPA) DE BERINJELA. POR CIMA, DISPONHA O FILÉ DE PEIXE E, AO LADO, O MOLHO DE LULAS E TOMATES FRESCOS COM MANJERICÃO. SIRVA ACOMPANHADO DO BLEND DE ARROZ.

O vermelho é um peixe muito usado do Espírito Santo para cima. Lá tem mais variedades que no Sul/Sudeste. É um excelente peixe, de sabor marcante, e textura delicada. Usamos também o cherne nesta receita, ótimo peixe de textura e sabor maravilhosos.

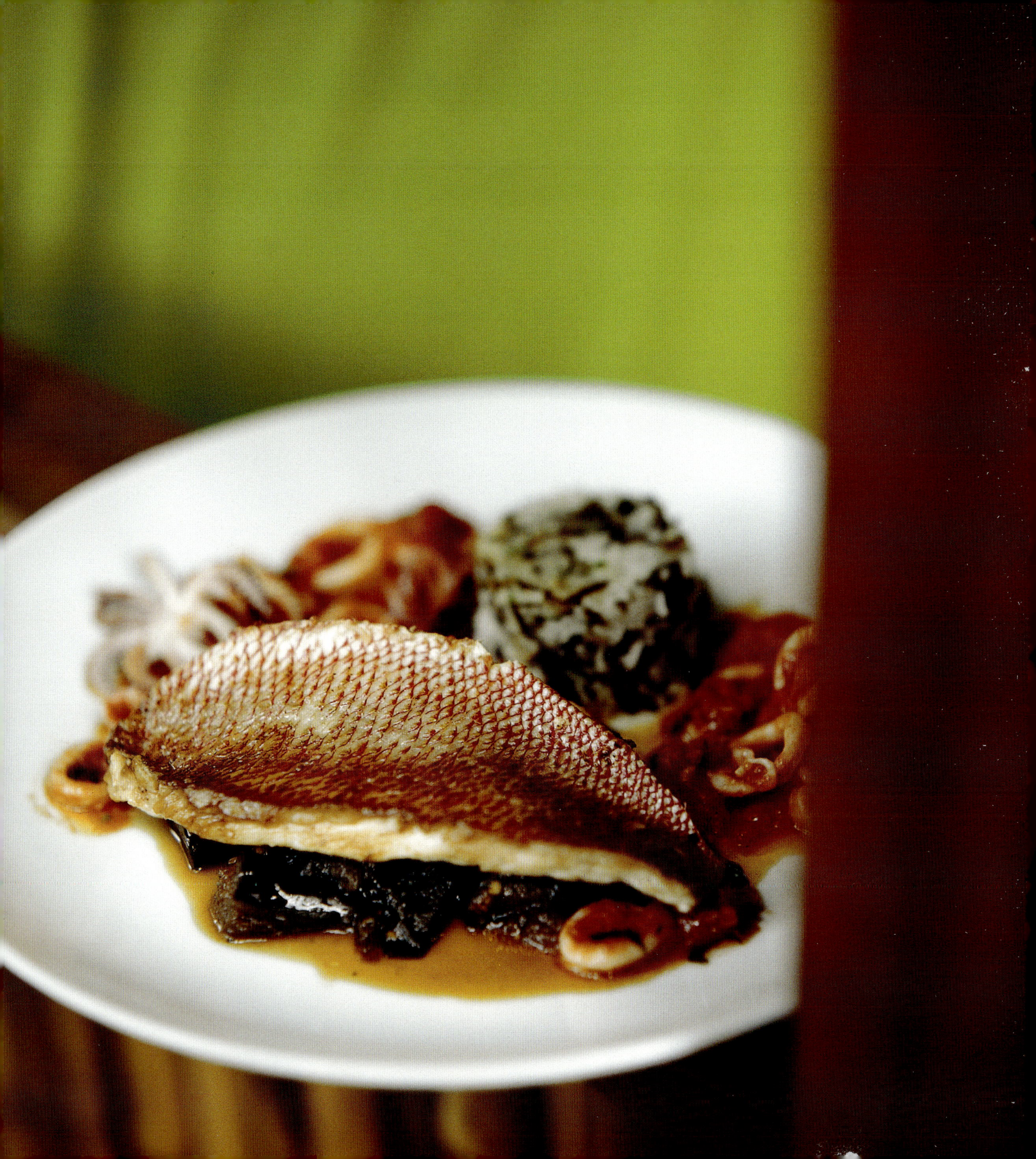

Salmão em crosta de batata ao creme de gengibre e cenoura caramelizada 4 pessoas

INGREDIENTES

Para o creme de gengibre
500 g de gengibre ralado
1 cebola ralada
2 colheres (sopa) de manteiga
500 ml de creme de leite fresco
sal e pimenta-do-reino

Para a cenoura
1/2 colher (sopa) de óleo de milho
1 pitada de açúcar
1 cenoura em rodelas diagonais

Para o salmão
4 filés de salmão (220 g cada)
1 batata graúda
1/2 cebola cortada ao meio
1 colher (sopa) de manteiga
sal e pimenta-do-reino

MODO DE PREPARAR

Creme de gengibre
NUMA PANELA, REFOGUE O GENGIBRE E A CEBOLA NA MANTEIGA ATÉ ESTAREM COZIDOS. ACRESCENTE O CREME DE LEITE E FERVA. BATA TUDO NO LIQUIDIFICADOR E COE. LEVE DE VOLTA À PANELA E DEIXE REDUZIR ATÉ ADQUIRIR CONSISTÊNCIA CREMOSA. TEMPERE COM SAL E PIMENTA E RESERVE.

Cenoura
NUMA FRIGIDEIRA ANTIADERENTE, AQUEÇA O ÓLEO, ACRESCENTE UMA PITADA DE AÇÚCAR E FRITE A CENOURA. QUANDO ESTIVER DOURADA, RETIRE AS RODELAS, SEQUE EM PAPEL ABSORVENTE E RESERVE.

Salmão
TEMPERE OS FILÉS DE SALMÃO COM SAL E PIMENTA E RESERVE.
DESCASQUE A BATATA E, COM AJUDA DO DESCASCADOR, CORTE EM TIRAS GRANDES. CUBRA CADA FILÉ COM ESSAS TIRAS, FORMANDO UMA CAPA. NUMA FRIGIDEIRA ANTIADERENTE, REFOGUE A CEBOLA NA MANTEIGA ATÉ FICAR DOURADA. RETIRE A CEBOLA E COLOQUE O SALMÃO COM A CAPA DE BATATA VOLTADA PARA BAIXO. QUANDO ESSA CROSTA ESTIVER DOURADA, VIRE O FILÉ E TERMINE O COZIMENTO, DEIXANDO-O AO PONTO.

MONTAGEM

DISTRIBUA O MOLHO EM PRATOS INDIVIDUAIS AQUECIDOS. ARRUME O SALMÃO NO CENTRO COM A CROSTA DE BATATA PARA CIMA, E, EM VOLTA, FORMANDO UM CÍRCULO, DISPONHA AS RODELAS DE CENOURA.

Este é um excelente prato para dias frios e chuvosos. O salmão que sempre deve estar demi-cuit, se harmoniza muito bem com este creme de gengibre, vibrante e untuoso.

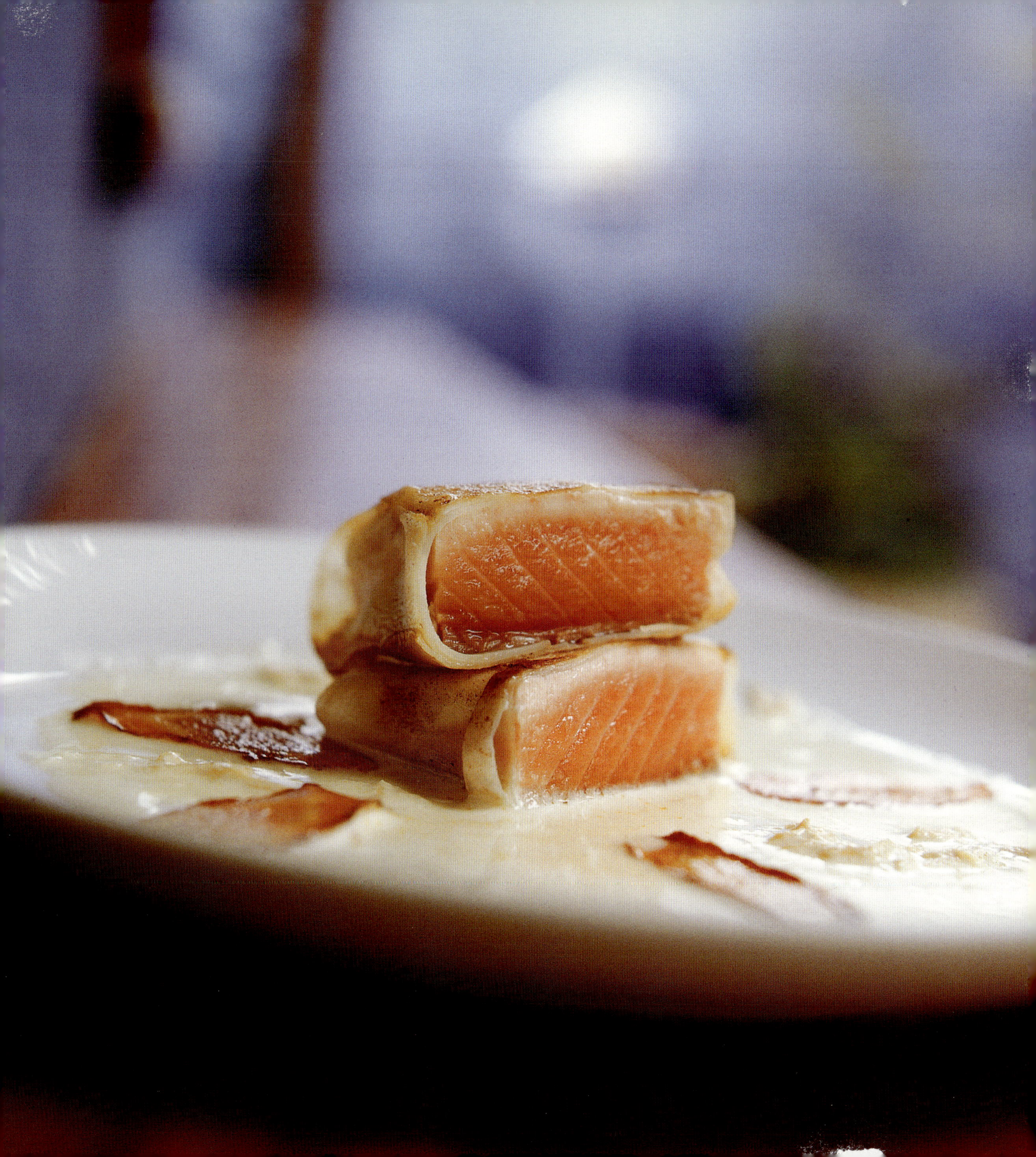

Garoupa à caiçara 4 pessoas

INGREDIENTES

Para o fundo de peixe
300 g de espinhas de peixe (pescada ou linguado)
1 litro de água / 1/2 cebola em pedaços
1/2 salsão em pedaços / 1/2 cenoura em pedaços
1 rodela de alho-poró
pimenta-do-reino

Para o pirão
3 colheres (sopa) de azeite de oliva
1/2 cebola média bem picada
1 colher (sopa) de cebolinha picada
2 colheres (sopa) de pimentão amarelo sem casca em tiras
3 colheres (sopa) de tomate picado
1/2 colher (sopa) de coentro picado
200 g de peixe sem espinha em filés pequenos (de preferência garoupa)
suco de 1/2 limão / 900 ml de fundo de peixe
120 g (aproximadamente) de farinha de mandioca crua
sal e pimenta-do-reino

Para o peixe
4 filés de garoupa (aproximadamente 200 g cada)
suco de 1/2 limão / 300 ml de fundo de peixe
4 colheres (sopa) de cebolinha
1/2 pimentão amarelo em tiras finas
1/2 pimentão vermelho em tiras finas
1 cebola média em tiras / 4 ramos de coentro
2 tomates sem pele e sem sementes em cubos
sal e pimenta-do-reino

Para servir
arroz branco
1/2 coco em fitas finas
1 banana-nanica assada

MODO DE PREPARAR

Fundo de peixe
LAVE MUITO BEM AS ESPINHAS DE PEIXE PARA TIRAR TODO O SANGUE. COZINHE-AS COM TODOS OS INGREDIENTES POR CERCA DE 45 MINUTOS. COE E RESERVE.

Pirão
NUMA CAÇAROLA, AQUEÇA O AZEITE E JUNTE A CEBOLA, A CEBOLINHA, O PIMENTÃO, O TOMATE E O COENTRO. REFOGUE UM POUCO E ACRESCENTE O PEIXE JÁ TEMPERADO COM SUCO DE LIMÃO, SAL E PIMENTA. COZINHE E DESFIE O PEIXE, ADICIONE O FUNDO DE PEIXE, TEMPERE COM SAL E PIMENTA E DEIXE FERVER. POR FIM, VÁ ACRESCENTANDO AOS POUCOS A FARINHA ATÉ QUE O PIRÃO ATINJA A CONSISTÊNCIA DESEJADA. É ACONSELHÁVEL DEIXÁ-LO MAIS PARA MOLE. RESERVE.

Peixe
TEMPERE OS FILÉS COM SUCO DE LIMÃO, SAL E PIMENTA. NUMA PANELA DE FUNDO LARGO OU NUMA FRIGIDEIRA, COLOQUE TODOS OS INGREDIENTES, MENOS O TOMATE. ACERTE O TEMPERO E DEIXE EM FOGO MÉDIO ATÉ QUE O PEIXE ESTEJA COZIDO. ACRESCENTE O TOMATE E RESERVE.

MONTAGEM

NO CENTRO DE PRATOS INDIVIDUAIS AQUECIDOS, ARRUME O ARROZ E CUBRA COM O COCO. EM VOLTA, DISPONHA O PIRÃO E, POR CIMA DELE, O PEIXE. ARRUME AO REDOR DO ARROZ A BANANA EM PEDAÇOS COMPRIDOS. ACRESCENTE UM POUCO DO CALDO DO COZIMENTO DO PEIXE E SIRVA.

Os peixes mais indicados aqui são a garoupa e o cherne, mas o namorado, o robalo ou mesmo o badejo funcionam bem. Esse é um prato com típicos ingredientes caiçaras e deve ser servido com pimenta. A farinha que recomendo usar é a de maniçoba, baiana.

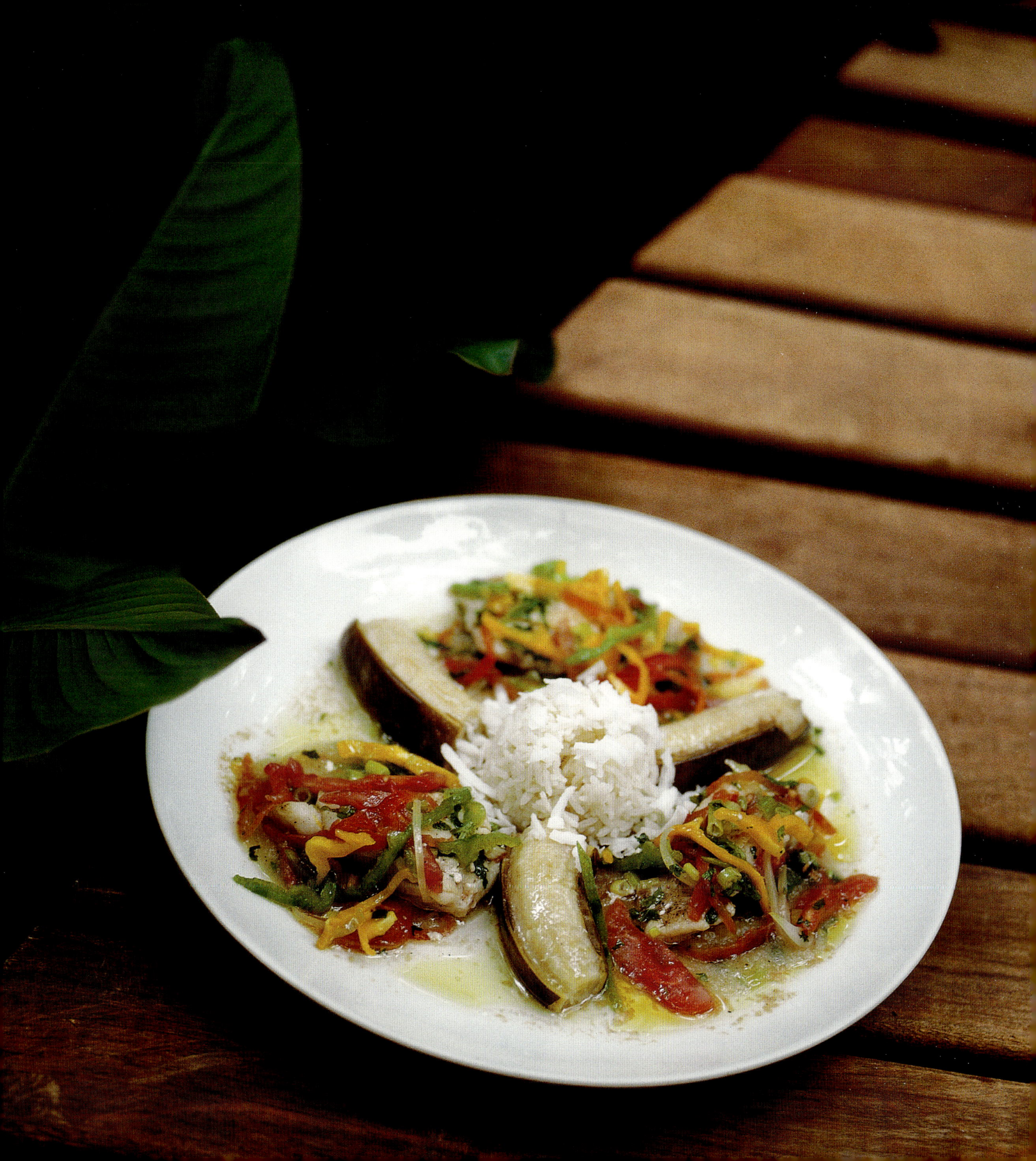

Arraia ao creme de salsinha e banana-da-terra 4 pessoas

INGREDIENTES

Para o creme de salsinha
1 colher (sopa) de manteiga
1 cebola pequena ralada
1 maço pequeno de salsinha (somente as folhas)
1 xícara de água
50 ml de vinho branco seco
sal e pimenta-do-reino

Para a banana-da-terra
4 bananas-da-terra
2 colheres (sopa) de óleo de milho

Para a arraia
4 filés de arraia sem pele e sem cartilagem (180 g cada)
2 colheres (sopa) de manteiga
sal e pimenta-do-reino

MODO DE PREPARAR

Creme de salsinha
COLOQUE A MANTEIGA E A CEBOLA NUMA PANELA E REFOGUE ATÉ QUE A CEBOLA ESTEJA TRANSPARENTE. ACRESCENTE A SALSINHA E MANTENHA A PANELA NO FOGO ATÉ QUE MURCHE. COLOQUE NO LIQUIDIFICADOR, ACRESCENTE A ÁGUA E BATA. COLOQUE NA PANELA NOVAMENTE, TEMPERE COM SAL E PIMENTA, JUNTE O VINHO E DEIXE FERVER. RESERVE.

Banana-da-terra
CORTE AS BANANAS EM RODELAS DIAGONAIS, FRITE NO ÓLEO E RESERVE.

Arraia
TEMPERE OS FILÉS DE ARRAIA COM SAL E PIMENTA E FRITE-OS NA MANTEIGA, EM FOGO BAIXO, PARA QUE NÃO QUEIMEM.

MONTAGEM

DISPONHA UM POUCO DO MOLHO EM CADA PRATO. COLOQUE A ARRAIA NO CENTRO E, EM VOLTA, DISTRIBUA AS RODELAS DE BANANA-DA-TERRA. SIRVA IMEDIATAMENTE.

A arraia é um peixe pouco consumido no Brasil. De sabor levemente resinoso e picante, a arraia, nesta receita, se harmoniza muito bem com o creme de salsinha que é um pouco acre e com a banana-da-terra, de sabor discretamente doce e sutil. Tradicionalmente é feita com beurre noisette e alcaparras.

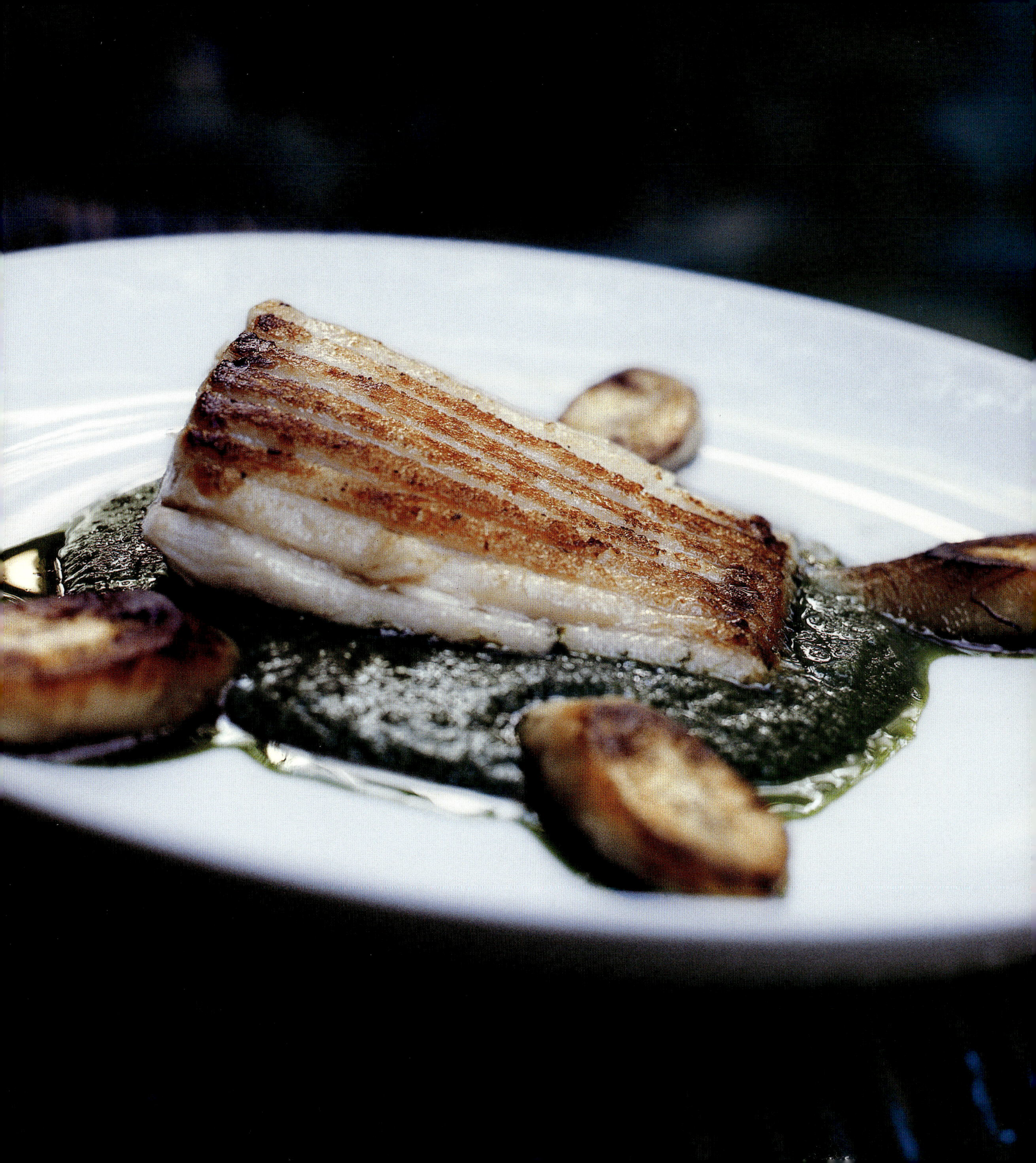

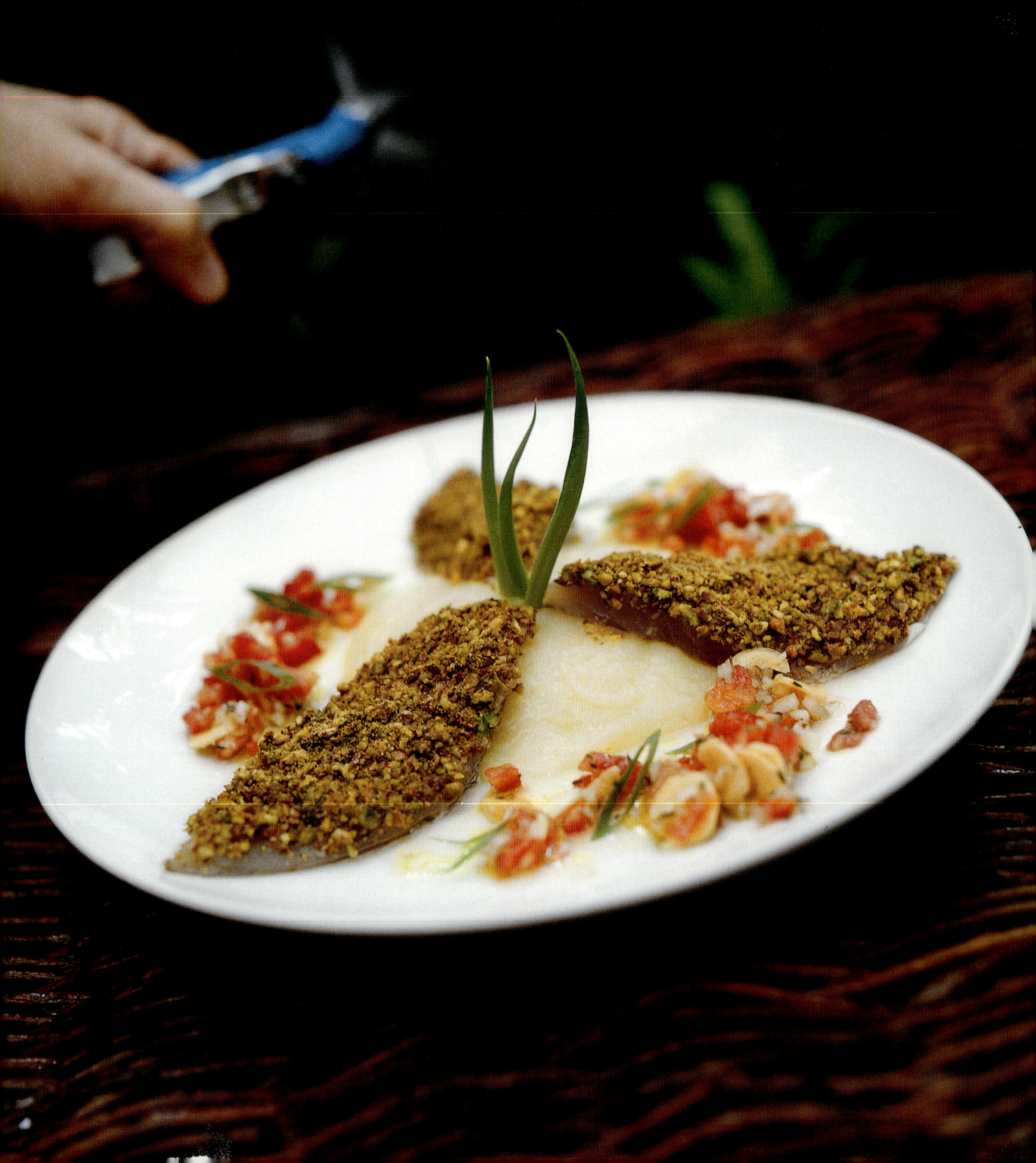

Pescada em crosta de pistache, musseline de mandioca e vinagrete de gengibre — 4 pessoas

INGREDIENTES

Para o vinagrete
1 cebola em cubinhos
150 ml de azeite de oliva extravirgem
2 tomates sem pele e sem sementes em cubinhos
3 colheres (sopa) de gengibre em lâminas finas
1 colher (sopa) de vinagre de vinho branco
1/2 colher (sopa) de mel
1/2 colher (sopa) de tomilho fresco
1/2 colher (sopa) de manjericão picado
1/2 colher (sopa) de salsinha picada
2 colheres (sopa) de cebolinha em pedaços diagonais
óleo de milho para fritar

Para a musseline de mandioca
1 kg de mandioca descascada
50 g de manteiga
100 ml de creme de leite fresco
sal e pimenta-do-reino

Para a pescada
720 g de filé de pescada com pele
4 colheres (sopa) de pistache em lâminas
2 colheres (sopa) de óleo de milho
sal e pimenta-do-reino

MODO DE PREPARAR

Vinagrete
Refogue a cebola em 50 ml de azeite, até ficar transparente. Junte o tomate e desligue o fogo. Deixe esfriar e reserve. Frite o gengibre no óleo de milho até ficar levemente dourado. Seque sobre papel absorvente. Misture todos os ingredientes do vinagrete, reservando a cebolinha para decorar o prato.

Musseline de mandioca
Cozinhe a mandioca e escorra. Bata no processador e passe pela peneira. Coloque numa panela e leve ao fogo baixo. Acrescente a manteiga e o creme de leite, mexendo sempre, até obter uma consistência cremosa. Se necessário, adicione mais manteiga. Tempere com sal e pimenta.

Pescada
Corte os filés no sentido diagonal e tempere com gotas de limão, sal e pimenta. Empane o lado sem pele no pistache e grelhe numa frigideira antiaderente com óleo (comece sempre com o lado da pele para baixo). Cubra a frigideira para que se forme um pouco de vapor. Retire os filés quando estiverem cozidos, mas ainda úmidos.

MONTAGEM

Coloque um pouco da musseline de mandioca no centro de cada prato. Disponha sobre ela os filés de peixe. Amorne o vinagrete e disponha em volta do prato. Enfeite com a cebolinha e sirva.

Esse é um prato de consistência muito delicada.
Outras opções de peixe são o pargo e, eventualmente, o linguado.

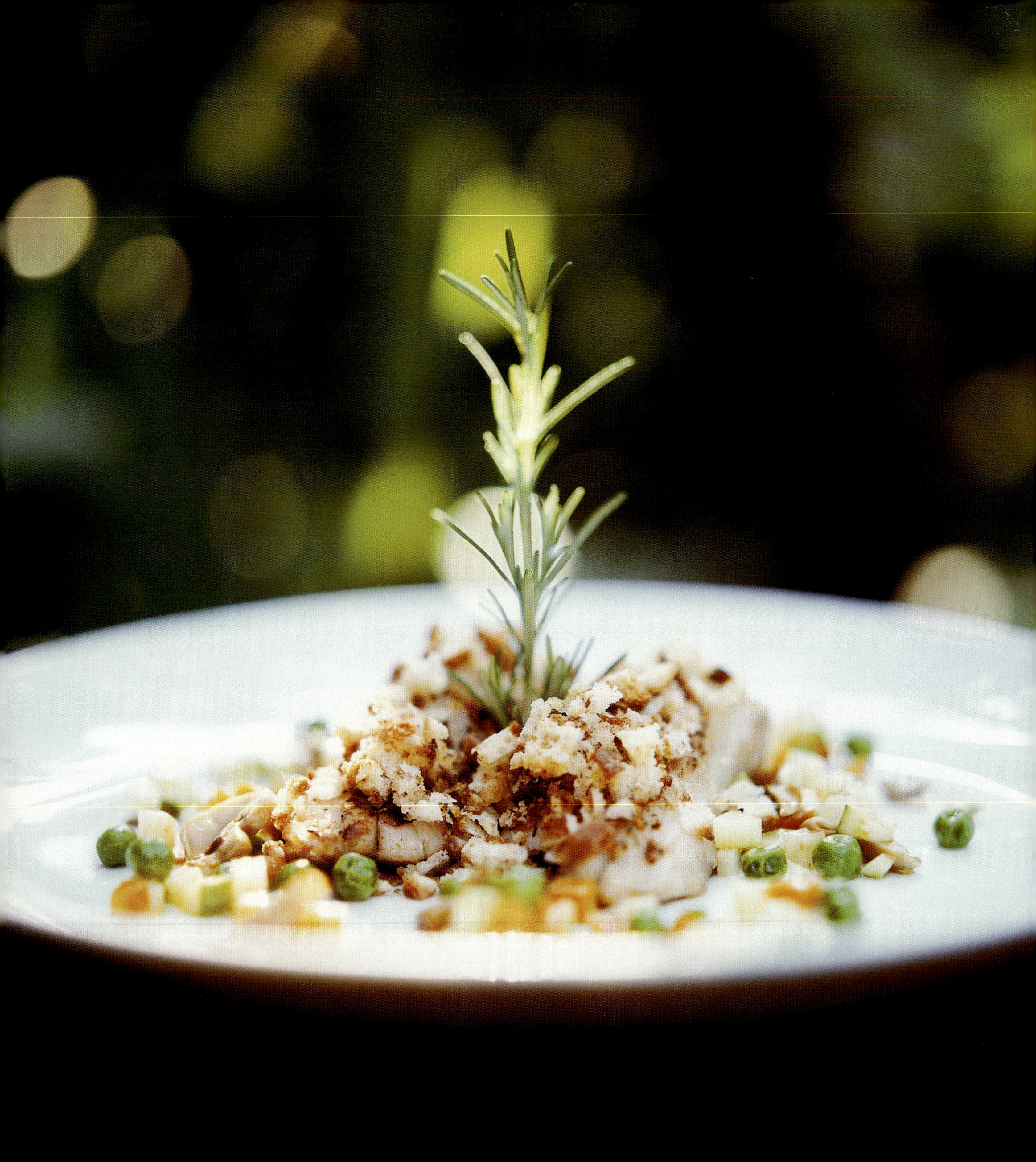

Pescada-branca em crosta de ciabatta ao alecrim, purê de berinjela e sautée de legumes 4 pessoas

INGREDIENTES

Para os legumes
2 cenouras em cubinhos
1 batata em cubinhos
3 talos de salsões picados
100 g de cogumelos frescos
200 g de ervilha fresca
2 colheres (sopa) de manteiga clarificada
1 colher (chá) de suco de limão
sal e pimenta-do-reino

Para o purê de berinjela
500 g de berinjelas sem casca em pedaços
1 colher (sopa) de azeite de oliva
1/2 alho-poró em rodelas
2 colheres (sopa) de cream cheese
sal

Para a pescada-branca
1 pão ciabatta
2 colheres (sopa) de manteiga com sal
4 filés de pescada-branca
1 colher (sopa) de azeite de oliva extravirgem
1 colher (sopa) de alecrim fresco
sal e pimenta-do-reino

MODO DE PREPARAR

Legumes
BRANQUEIE OS LEGUMES, PASSANDO-OS POR ÁGUA QUENTE POR 2 MINUTOS E DEPOIS POR ÁGUA BEM FRIA, E RESERVE. CLARIFIQUE A MANTEIGA, DEIXANDO-A DERRETER EM FOGO BAIXO E USANDO SOMENTE A PARTE OLEOSA (AMARELA), E DESCARTANDO O RESTANTE. TEMPERE COM LIMÃO, SAL E PIMENTA.

Purê de berinjela
COZINHE A BERINJELA NO VAPOR. NUMA PANELA À PARTE, COLOQUE O AZEITE E REFOGUE O ALHO-PORÓ. ACRESCENTE A BERINJELA E O CREAM CHEESE E REFOGUE MAIS UM POUCO. RETIRE DO FOGO E BATA NO PROCESSADOR. ACERTE O TEMPERO E RESERVE.

Pescada-branca
CORTE O PÃO CIABATTA AO MEIO, PASSE MANTEIGA E LEVE AO FORNO PREAQUECIDO MÉDIO (180ºC). DEPOIS DE LEVEMENTE TORRADO, QUEBRE GROSSEIRAMENTE, FAZENDO UMA FARINHA DE PÃO. TEMPERE OS FILÉS DE PESCADA COM SAL E PIMENTA E GRELHE EM FRIGIDEIRA ANTIADERENTE COM AZEITE. QUANDO ESTIVEREM AO PONTO, DISPONHA SOBRE ELES A FARINHA DE CIABATTA E SALPIQUE O ALECRIM. LEVE À SALAMANDRA OU AO FORNO QUENTE (200ºC) ATÉ DOURAR.

MONTAGEM

SALTEIE OS LEGUMES NA MANTEIGA CLARIFICADA E TEMPERADA.
NO CENTRO DE PRATOS INDIVIDUAIS, COLOQUE UM POUCO DO PURÊ DE BERINJELA. EM CIMA, ARRUME UM FILÉ DE PESCADA E, EM VOLTA, DISPONHA OS LEGUMES.

Esse é um prato leve e delicado, que fica instigante com o acréscimo do purê de berinjela que é levemente picante. Bom também como primeiro prato em um menu completo para dias quentes.

Filé de tainha ao aroma de bacon com feijão marinheiro e creme de pimentão vermelho — 4 pessoas

INGREDIENTES

Para o creme de pimentão vermelho

500 g de tomate sem pele e sementes
1 dente de alho espremido
2 colheres (sopa) de azeite de oliva
2 pimentões vermelhos sem pele em pedaços
1/2 cebola em pedaços
sal e pimenta-do-reino

Para o feijão

500 g de feijão-fradinho
2 colheres (sopa) de óleo de milho
1 colher (sopa) de manteiga
150 g de lula em anéis
2 dentes de alho espremidos
1 cebola média ralada
150 g de polvo cozido em pedaços pequenos
1/2 colher (chá) de cúrcuma
1 pimenta do bode ou pimenta-de-cheiro
2 tomates sem pele em cubos
1 colher (chá) de tomilho fresco
50 ml de azeite de oliva extravirgem
150 g de farinha de mandioca em biju de boa qualidade
1 colher (sopa) de salsinha picada
1 colher (sopa) de cebolinha picada
sal e pimenta-do-reino

Para a tainha

4 filés de tainha (180 g cada)
1 colher (sopa) de azeite de oliva extravirgem
1 fatia de bacon
sal grosso

MODO DE PREPARAR

Creme de pimentão vermelho

CORTE OS TOMATES EM LÂMINAS FINAS E REFOGUE-OS COM O ALHO EM 1 COLHER (SOPA) DO AZEITE ATÉ OBTER UM MOLHO. EM OUTRA PANELA, REFOGUE EM FOGO BEM BAIXO OS PIMENTÕES E A CEBOLA NO AZEITE RESTANTE. QUANDO ESTIVEREM COZIDOS, ACRESCENTE 250 ML DO MOLHO PREPARADO COM OS TOMATES. TEMPERE COM SAL E PIMENTA E BATA NO LIQUIDIFICADOR. RESERVE.

Feijão

COZINHE O FEIJÃO-FRADINHO EM ÁGUA SEM SAL ATÉ QUE ESTEJA COZIDO, MAS AINDA FIRME. RESERVE.
NUMA PANELA, COLOQUE O ÓLEO E A MANTEIGA E REFOGUE A LULA POR 3 MINUTOS. JUNTE O ALHO E A CEBOLA E TEMPERE COM SAL E PIMENTA. ACRESCENTE O POLVO, A CÚRCUMA, O FEIJÃO COZIDO E A PIMENTA DO BODE E REFOGUE POR ALGUNS MINUTOS.
INCORPORE OS TOMATES E DEPOIS O TOMILHO. DESLIGUE O FOGO E COLOQUE O AZEITE, MISTURANDO DELICADAMENTE. ACRESCENTE A FARINHA E, POR ÚLTIMO, A SALSINHA E A CEBOLINHA.

Tainha

TEMPERE OS FILÉS DE TAINHA COM SAL GROSSO. COLOQUE A FATIA DE BACON NUMA FRIGIDEIRA ANTIADERENTE. GRELHE OS FILÉS NO AZEITE JUNTO COM O BACON, TOMANDO O CUIDADO DE NÃO DEIXAR PASSAR DO PONTO.

MONTAGEM

SIRVA OS FILÉS SOBRE O FEIJÃO MARINHEIRO, ACOMPANHADOS DO CREME DE PIMENTÃO VERMELHO OU, SE PREFERIR, DE UM BOM ARROZ BRANCO.

A tainha é um peixe muito popular no litoral. Quando preparada ao ponto, apresenta textura macia, quase cremosa. De sabor acentuado, exige acompanhamentos mais marcantes, e por isso se indica o feijão marinheiro, uma versão do fabuloso feijão tropeiro.

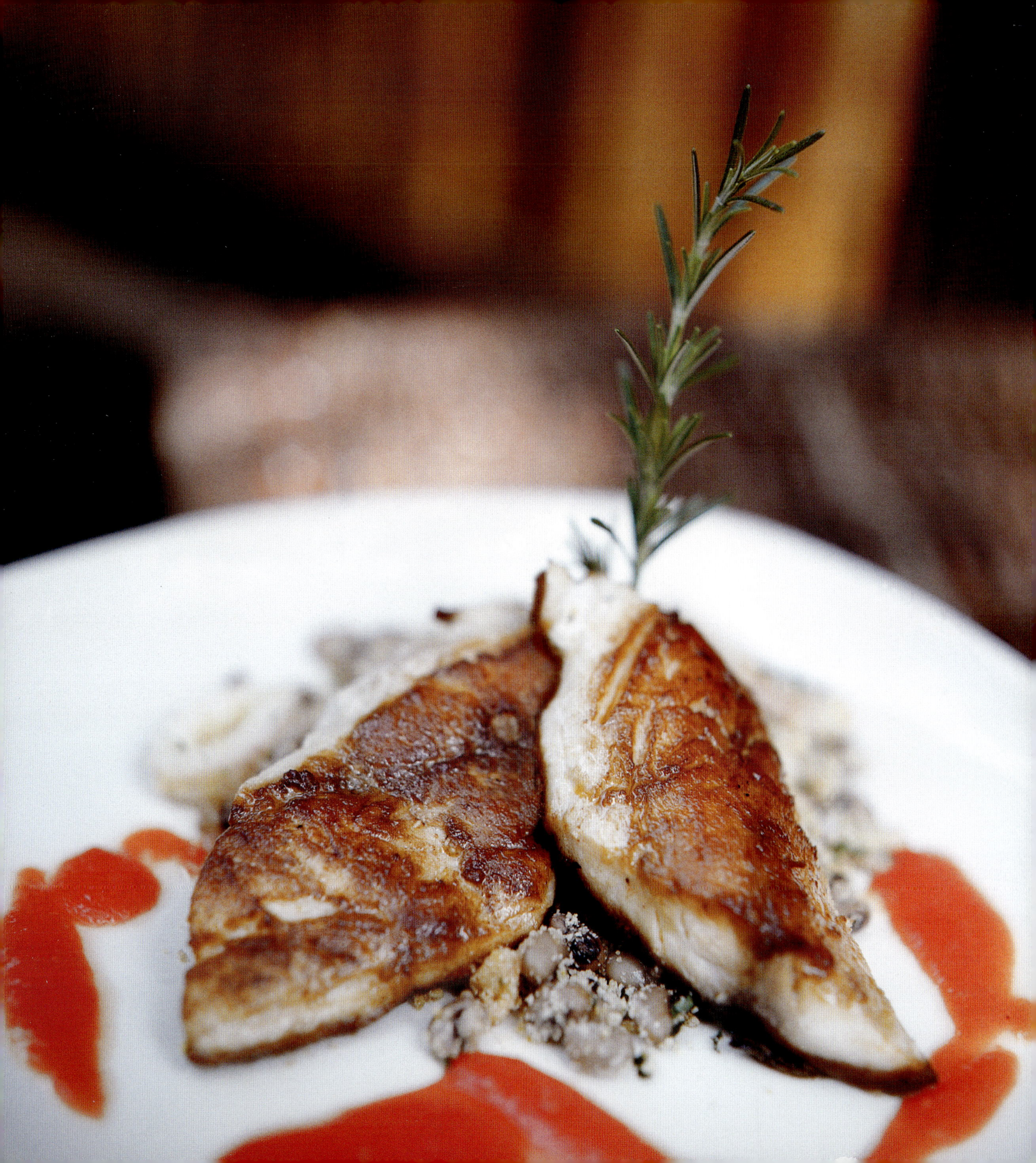

Linguado ao creme de laranja 4 pessoas

INGREDIENTES

1 colher (sopa) de manteiga
1 cebola em 4 partes
2 colheres (sopa) de uva-passa
1 litro de suco de laranja
4 filés de linguado (160 g cada)
manteiga para fritar
sal e pimenta-do-reino

MODO DE PREPARAR

COLOQUE A MANTEIGA E A CEBOLA NUMA PANELA, ACRESCENTE A UVA-PASSA E REFOGUE POR 3 MINUTOS. JUNTE O SUCO DE LARANJA E DEIXE FERVER. TEMPERE COM SAL E COE. LEVE AO FOGO NOVAMENTE E DEIXE REDUZIR, ATÉ ADQUIRIR UMA DELICADA CONSISTÊNCIA CREMOSA. RESERVE.
TEMPERE OS FILÉS COM SAL E PIMENTA E LEVE PARA GRELHAR EM FRIGIDEIRA ANTIADERENTE NA MANTEIGA. SIRVA OS FILÉS REGADOS COM O CREME DE LARANJA E ACOMPANHADOS DE ARROZ COM UVA-PASSA E CASTANHA DE CAJU OU DE UM RISOTO DE ALCACHOFRA.

A textura macia e o sabor delicado do linguado casam muito bem com esse creme de laranja. Esse prato é um clássico do Manacá. A belíssima sugestão de risoto de alcachofra, dada por Erick Jacquin, é um sucesso.

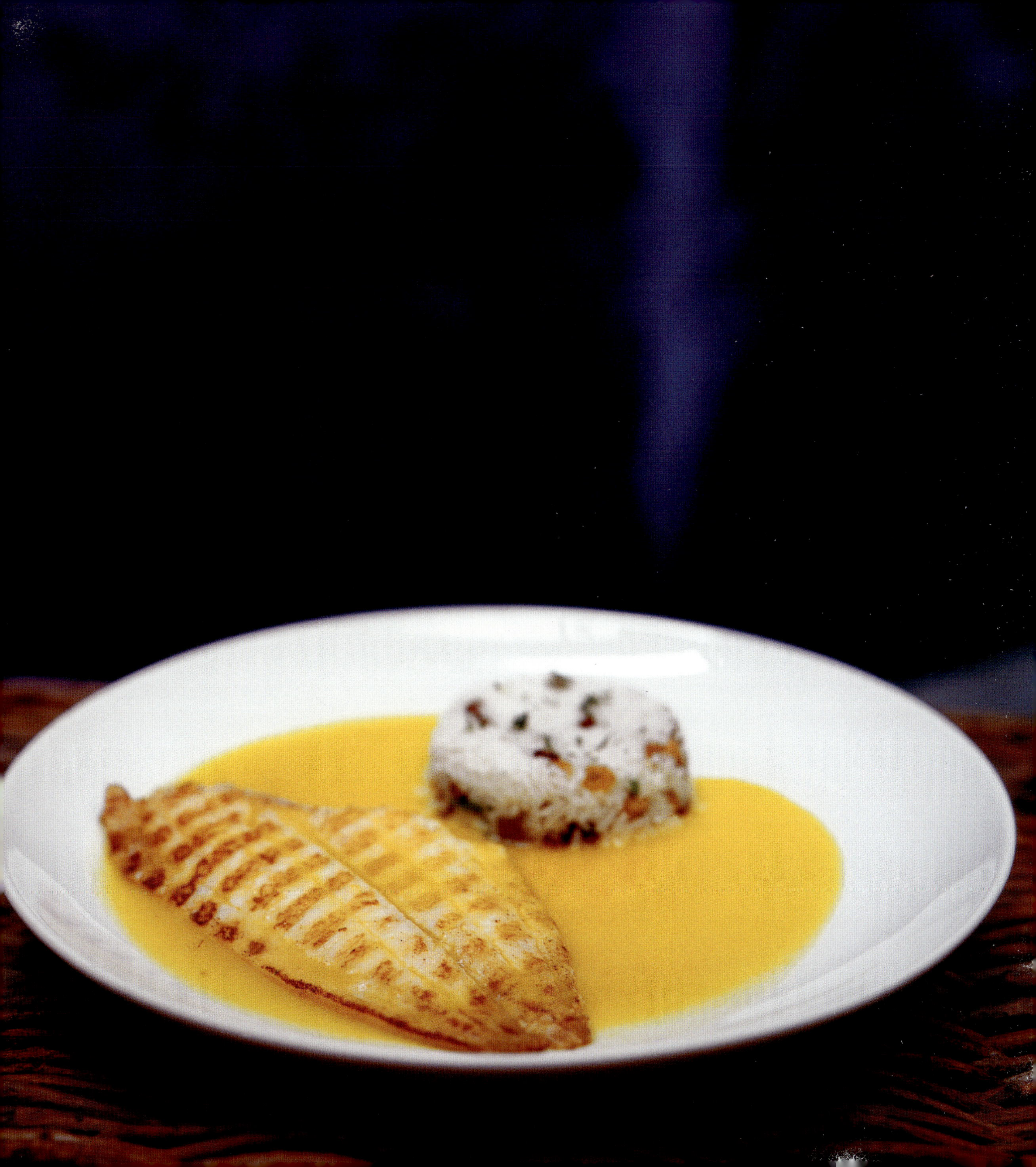

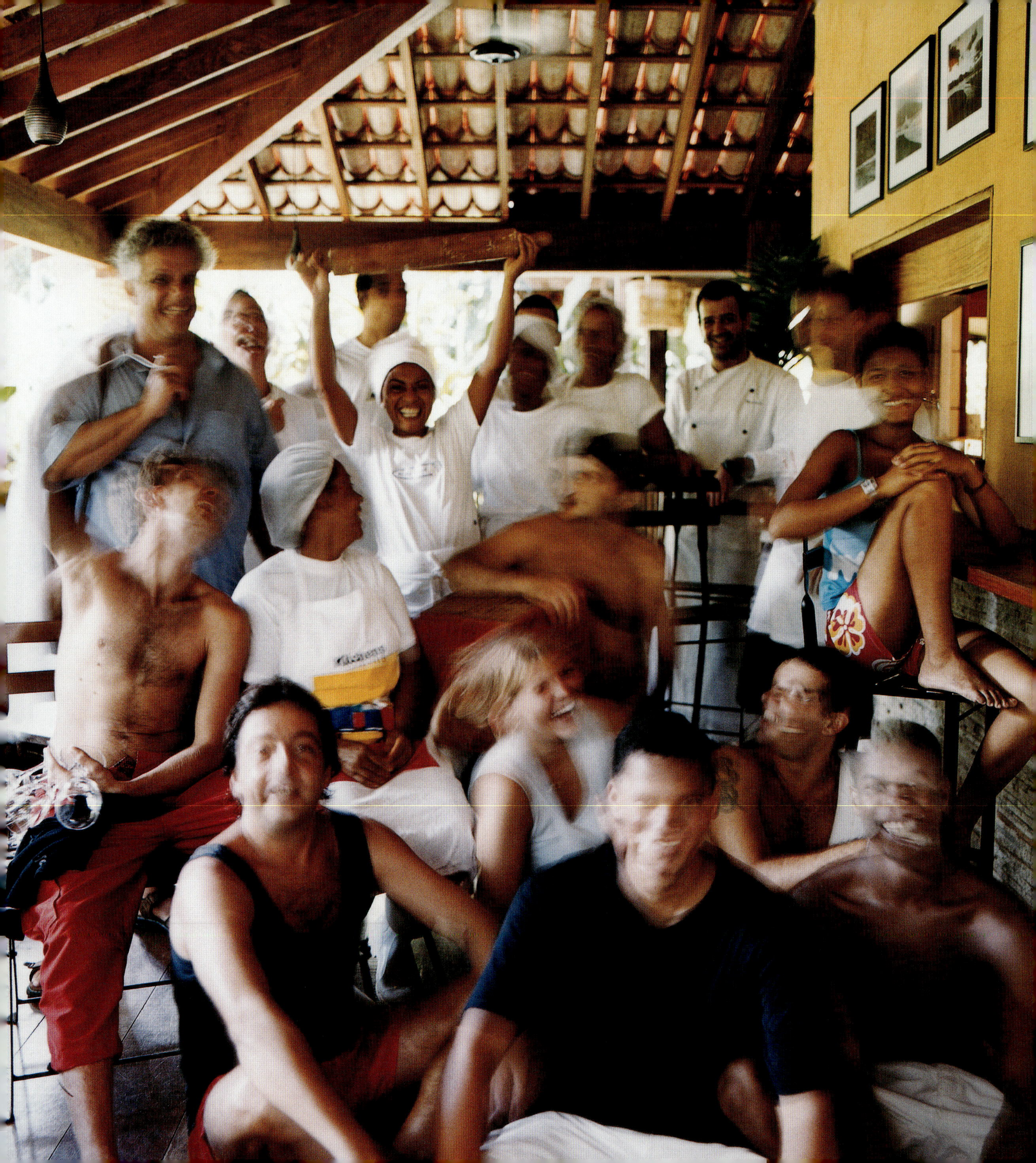

moluscos

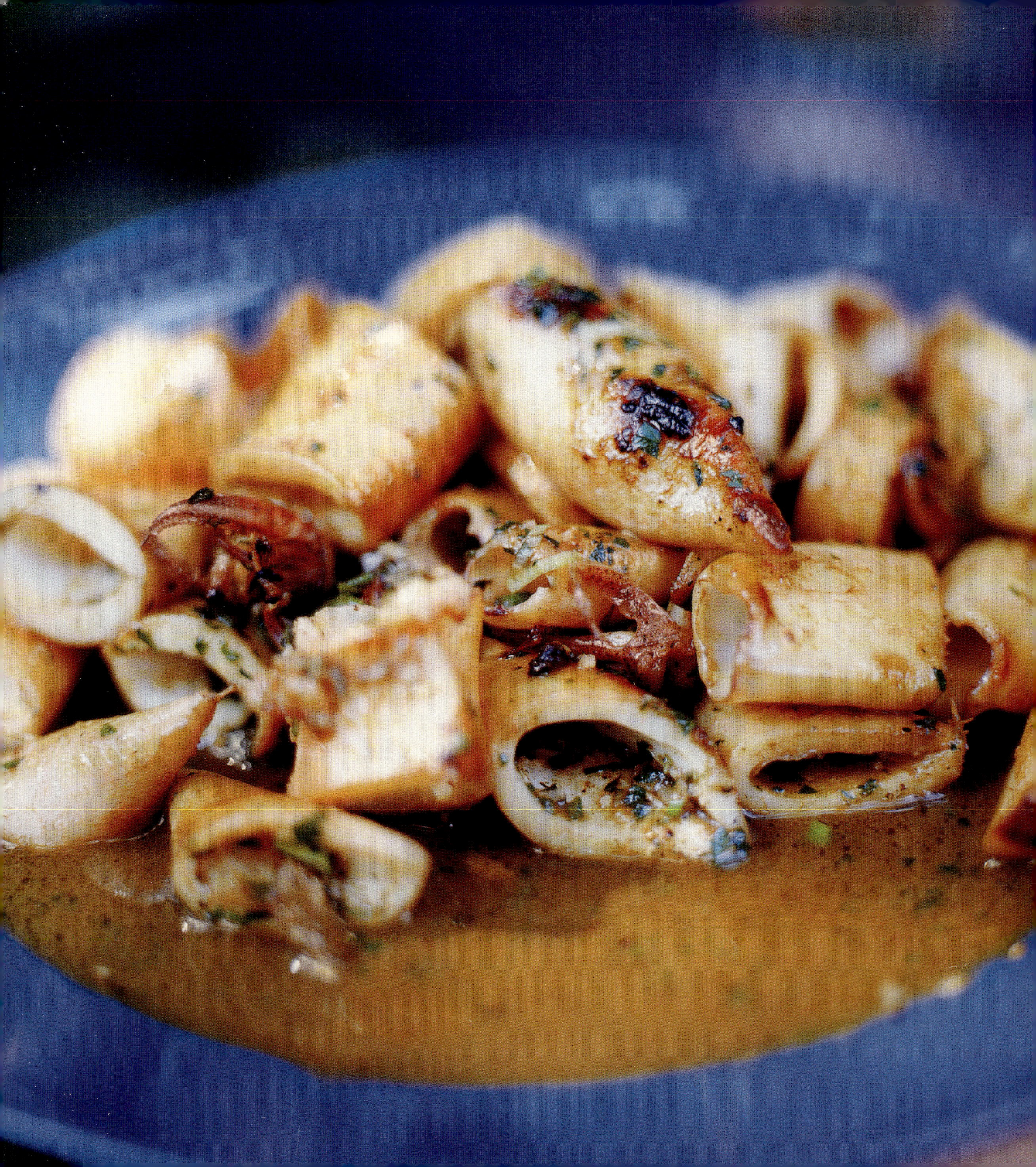

Lulas grelhadas à Manacá — 4 a 6 pessoas

INGREDIENTES

500 g de lula limpa
suco de 1/2 limão
2 colheres (sopa) de azeite para grelhar
2 colheres (sopa) de alho picado
100 a 200 ml de vinho branco seco
2 colheres (sopa) de vinagre balsâmico
1 colher (sopa) de ervas picadas (salsinha, tomilho e alecrim)
sal e pimenta-do-reino

MODO DE PREPARAR

TEMPERE AS LULAS COM SUCO DE LIMÃO, SAL E PIMENTA E GRELHE NUMA CHAPA PREAQUECIDA OU NUMA FRIGIDEIRA DE FUNDO GROSSO COM O AZEITE. É IMPORTANTE NÃO MEXER AS LULAS ATÉ QUE ESTEJAM DOURADAS DE UM LADO. VIRE ENTÃO, UMA A UMA, PARA QUE NÃO ELIMINEM MUITO LÍQUIDO. QUANDO ESTIVEREM GRELHADAS, ACRESCENTE O ALHO, O VINHO, O VINAGRE E AS ERVAS. MISTURE TUDO E SIRVA IMEDIATAMENTE.

Essa receita de lula foi uma das primeiras criações do Manacá. Há catorze anos, o Barba, nosso primeiro cozinheiro, sugeriu que grelhássemos lulas. A receita evoluiu e hoje é um grande sucesso. O segredo do prato está na forma de grelhar. É absolutamente indispensável uma superfície espessa, que consiga manter o calor constante (não é necessário altas temperaturas) enquanto as lulas grelham.

Salada de vieiras em redução de tangerina sobre endívia e verde — 4 pessoas

INGREDIENTES

20 vieiras grandes com ovas
3 colheres (sopa) de azeite de oliva
500 ml de suco de tangerina
20 folhas de endívia
folhas de alface crespa, alface-americana e alface-roxa
folhas de rúcula e agrião
folhas de escarola frisée e de radicchio
1 colher (sopa) de suco de limão
6 colheres (sopa) de azeite de oliva extravirgem
sal e pimenta-do-reino

MODO DE PREPARAR

TEMPERE AS VIEIRAS COM SAL E PIMENTA. NUMA FRIGIDEIRA ANTIADERENTE, AQUEÇA O AZEITE DE OLIVA E DOURE AS VIEIRAS. DESCARTE O AZEITE QUE RESTOU E, NA MESMA FRIGIDEIRA, ACRESCENTE O SUCO DE TANGERINA. DEIXE FERVER EM FOGO ALTO ATÉ COMEÇAR A ENGROSSAR. TEMPERE AS FOLHAS COM SUCO DE LIMÃO, AZEITE, SAL E PIMENTA E AS DISPONHA NO CENTRO DE CADA PRATO, MENOS AS DE ENDÍVIA. AO REDOR, DISTRIBUA AS FOLHAS DE ENDÍVIA E ARRUME SOBRE ELAS AS VIEIRAS E A REDUÇÃO DE TANGERINA.

Vieiras são moluscos muito saborosos e delicados e não podem ser muito cozidos, porque ressecam e desidratam. A redução de tangerina dá a esta salada um frescor muito apropriado à praia.

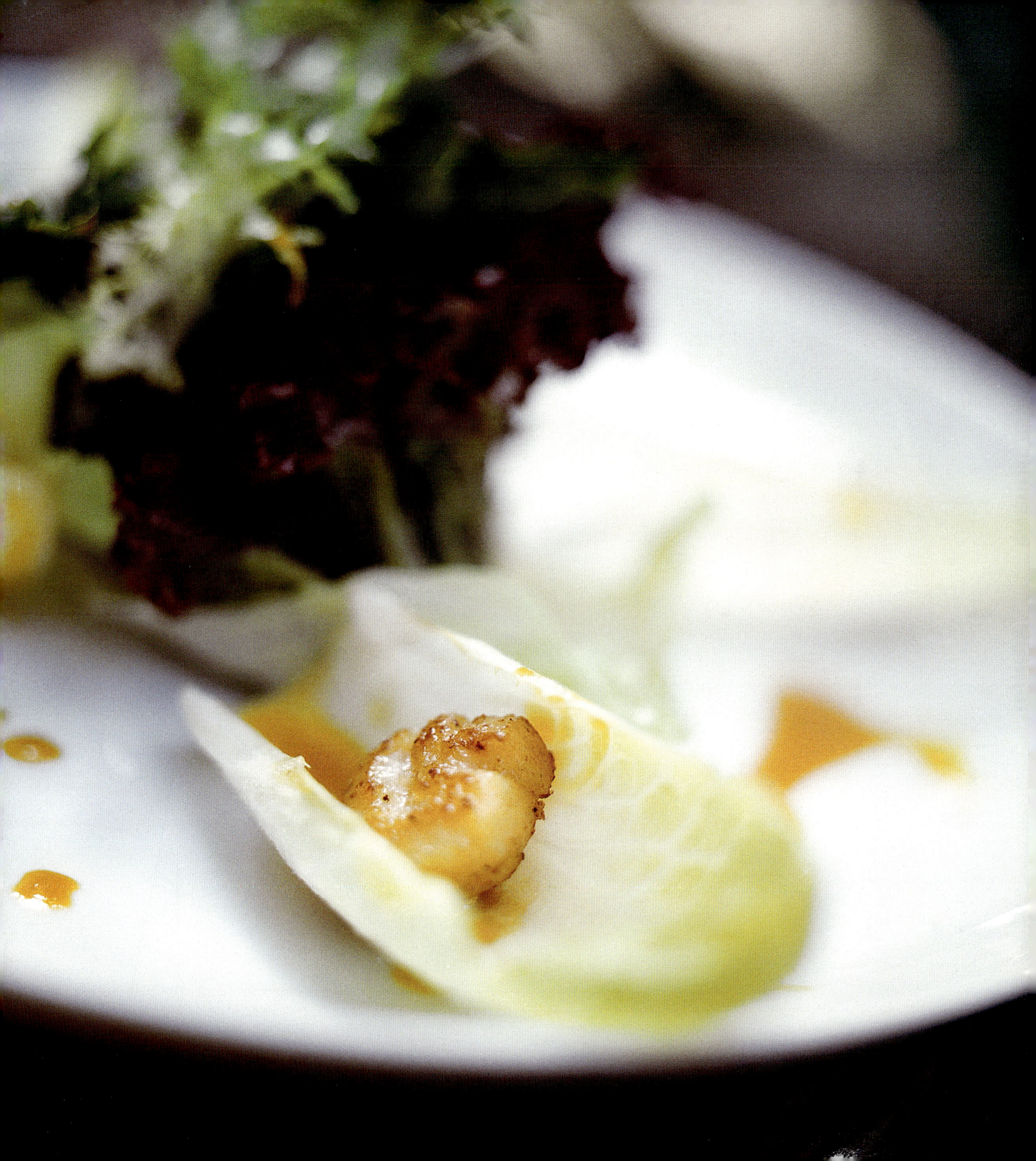

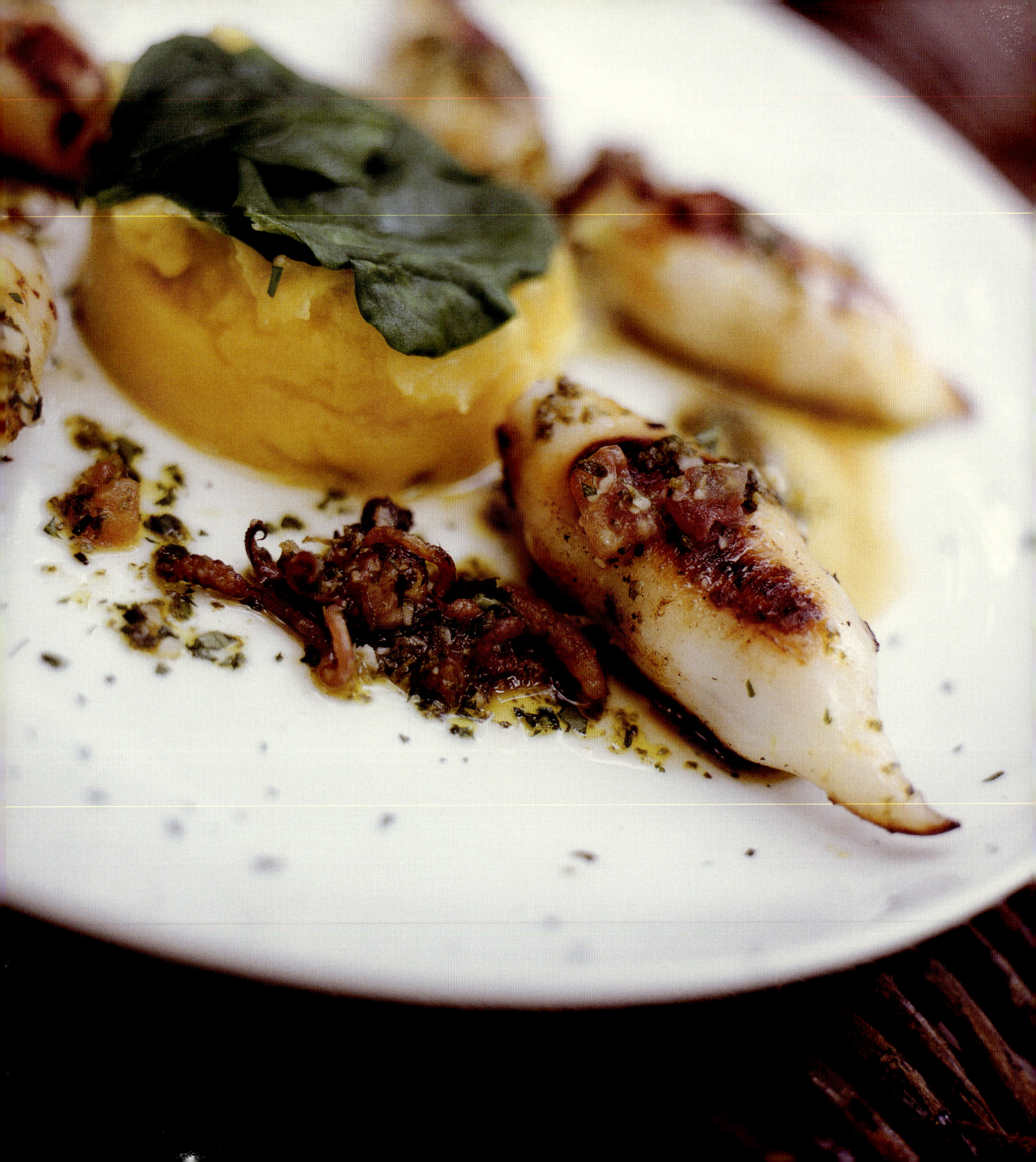

Lulas à provençal recheadas com camarão e alho-poró e musseline de mandioquinha — 4 pessoas

INGREDIENTES

Para a musseline de mandioquinha
800 g de mandioquinha em pedaços
2 colheres (sopa) de manteiga
1/2 xícara de creme de leite fresco
sal e pimenta-do-reino

Para o recheio
2 colheres (sopa) de azeite de oliva
1 cebola pequena em pedaços bem finos
1 alho-poró (só a parte branca) picado bem miúdo
1 xícara de camarão-rosa médio em cubos
sal e pimenta-do-reino

Para as lulas
16 a 20 lulas inteiras
suco de 1/2 limão
5 colheres (sopa) de azeite de oliva extravirgem
1 colher (sopa) de alho picado
2 colheres (sopa) de ervas picadas (alecrim, tomilho, salsinha e manjericão)
1 xícara de vinho branco seco
1 tomate sem pele e sem sementes em cubinhos
ervas picadas para salpicar
sal e pimenta-do-reino

MODO DE PREPARAR

Musseline de mandioquinha
COZINHE A MANDIOQUINHA E BATA NO PROCESSADOR. NUMA PANELA, COLOQUE A MANDIOQUINHA, A MANTEIGA E, AOS POUCOS, O CREME DE LEITE. MISTURE ATÉ OBTER A CONSISTÊNCIA DE UM PURÊ FINO, MAS FIRME. TEMPERE COM SAL E PIMENTA E RESERVE.

Recheio
NUMA PANELA, COLOQUE O AZEITE E REFOGUE A CEBOLA E O ALHO-PORÓ, ATÉ QUE ESTEJAM MACIOS. JUNTE OS CAMARÕES, TEMPERE COM SAL E PIMENTA E REFOGUE POR 3 MINUTOS. DESLIGUE O FOGO E RESERVE.

Lulas
LIMPE E RECHEIE AS LULAS COM O REFOGADO DE CAMARÃO. TEMPERE-AS COM LIMÃO, SAL E PIMENTA E GRELHE NUMA CHAPA OU FRIGIDEIRA DE FUNDO GROSSO COM 2 COLHERES (SOPA) DE AZEITE. QUANDO ESTIVEREM DOURADAS DE UM LADO, VIRE-AS COM CUIDADO E DEIXE DOURAR DO OUTRO LADO. ACRESCENTE O ALHO, O AZEITE RESTANTE E AS ERVAS E COZINHE POR 1 MINUTO. JUNTE O VINHO E, EM FOGO FORTE, DEIXE EVAPORAR A METADE. ACRESCENTE O TOMATE, SALPIQUE AS ERVAS E TEMPERE COM SAL E PIMENTA. SIRVA AS LULAS ACOMPANHADAS DA MUSSELINE DE MANDIOQUINHA.

Lulas recheadas são sempre deliciosas. Essas são as minhas preferidas.

Mexilhões ao vinho branco — 4 a 6 pessoas

INGREDIENTES

500 g de mexilhões frescos
1 cebola pequena em 4 partes
1 cenoura em pedaços
1 talo de salsão em pedaços
1 cebola pequena ralada
100 g de manteiga
150 ml de vinho branco seco
1/2 colher (sopa) de salsinha picada
sal e pimenta-do-reino

MODO DE PREPARAR

LAVE OS MARISCOS EM ÁGUA CORRENTE, ESFREGANDO-OS BEM COM UMA ESCOVA, PARA RETIRAR EVENTUAIS SUJEIRAS E CRACAS. NUMA PANELA, COLOQUE A CEBOLA CORTADA EM 4 PARTES, A CENOURA, O SALSÃO E OS MEXILHÕES. LEVE TUDO AO FOGO ALTO, ATÉ OS MARISCOS SE ABRIREM E SOLTAREM SEU LÍQUIDO. DESLIGUE O FOGO E DEIXE ESFRIAR UM POUCO. RESERVE O LÍQUIDO DO COZIMENTO. ABRA OS MEXILHÕES E RETIRE A METADE VAZIA DA CONCHA E OS "CABELOS" (RAÍZES QUE OS MEXILHÕES TÊM PARA SE SUSTENTAR). COE O CALDO CUIDADOSAMENTE, DESPREZANDO EVENTUAIS RESÍDUOS DE AREIA. RESERVE. REFOGUE A CEBOLA RALADA EM 60 G DA MANTEIGA, JUNTE O VINHO E DEIXE EVAPORAR UM POUCO. ACRESCENTE OS MEXILHÕES E O CALDO DO COZIMENTO E FERVA POR 3 MINUTOS. ADICIONE O RESTANTE DA MANTEIGA E FERVA POR MAIS 2 MINUTOS. SALPIQUE COM A SALSINHA E SIRVA OS MEXILHÕES ACOMPANHADOS DE BAGUETTE OU PÃO INTEGRAL.

Os mexilhões frescos são tenros e saborosos e não devem ser cozidos em excesso para que não se desidratem e fiquem com certa consistência "arenosa". Essa receita foi sugerida por Cacau Peters, amigo e gourmet.

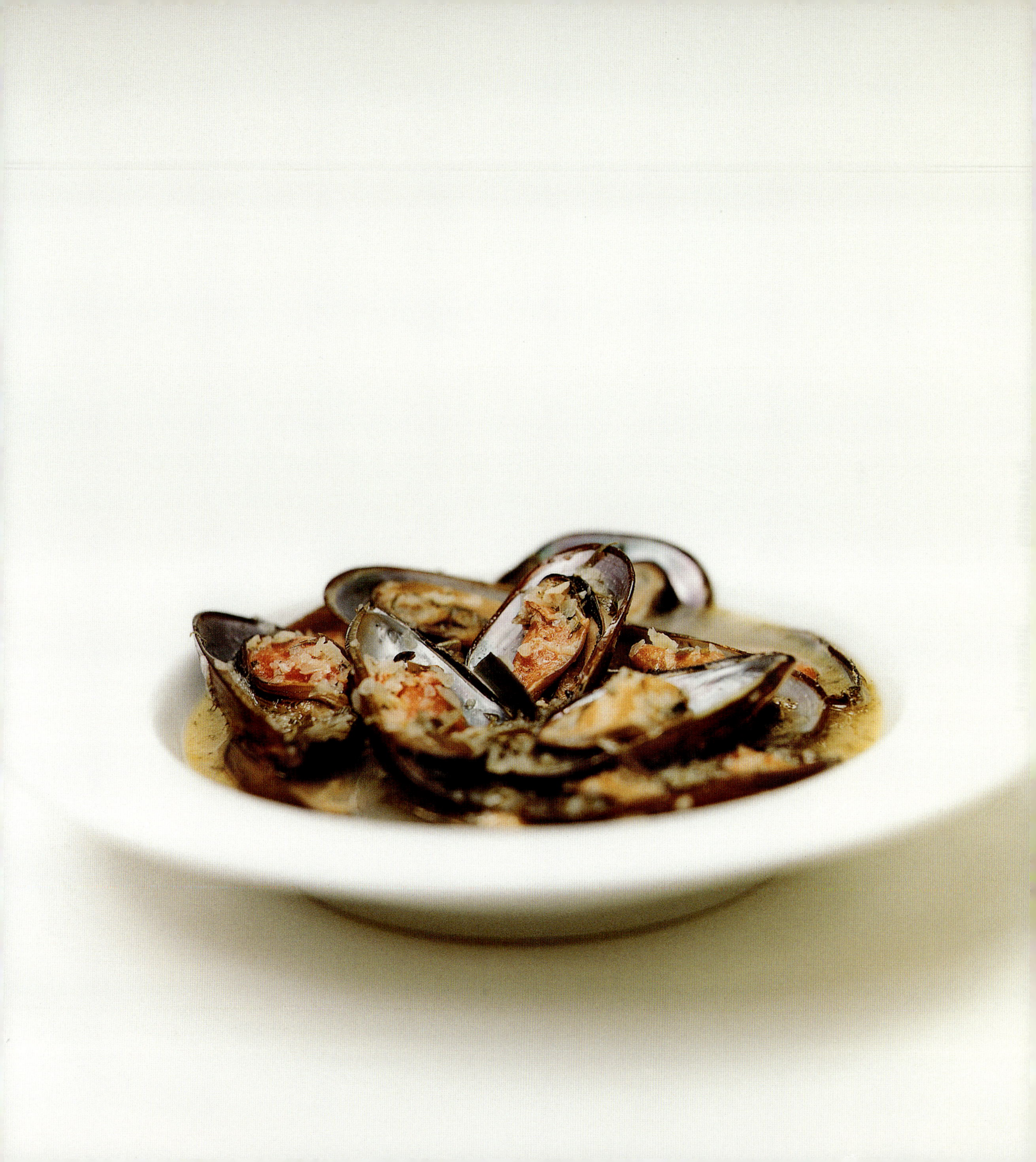

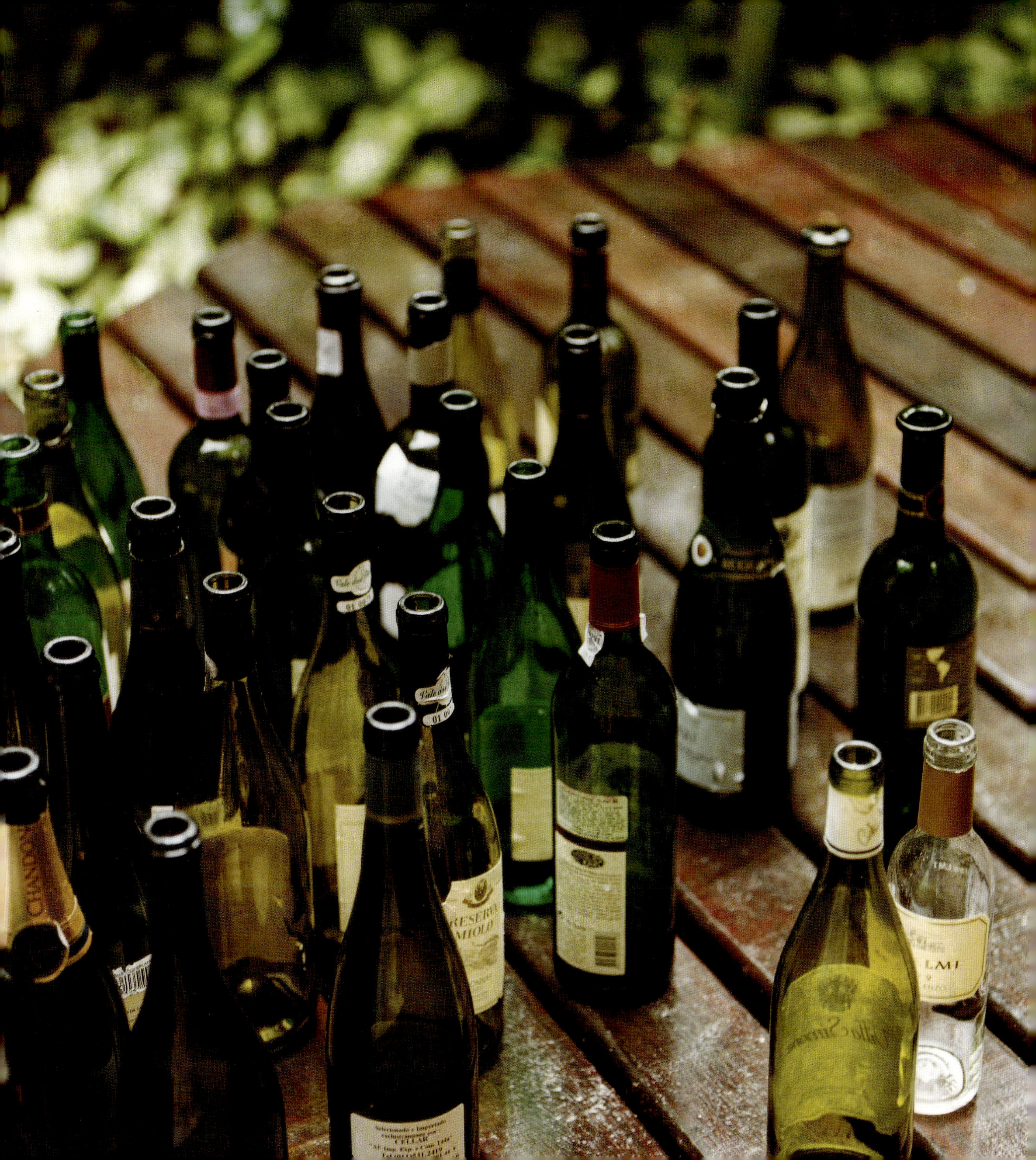

Penne ao Manacá 6 pessoas

INGREDIENTES

Para o penne
500 g de penne italiano
sal grosso

Para o molho
9 lulas limpas em anéis (250 g)
18 camarões médios limpos (400 g)
18 vieiras médias com ova (250 g)
3 colheres (sopa) de manteiga
1 cebola ralada
200 ml de vinho branco seco
500 ml de creme de leite fresco
1 colher (sopa) de manjericão picado
1 colher (sopa) de sálvia picada
sal e pimenta-do-reino

MODO DE PREPARAR

Penne
COZINHE O MACARRÃO EM BASTANTE ÁGUA FERVENTE COM O SAL GROSSO E UM FIO DE ÓLEO, ATÉ FICAR AL DENTE. ESCORRA.

Molho
TEMPERE OS FRUTOS DO MAR COM SAL E PIMENTA. NUMA FRIGIDEIRA, COLOQUE A MANTEIGA E REFOGUE A CEBOLA. AOS POUCOS, ACRESCENTE OS FRUTOS DO MAR (PRIMEIRO A LULA, DEPOIS OS CAMARÕES, POR FIM AS VIEIRAS). REFOGUE TUDO RAPIDAMENTE E DEGLACE COM O VINHO. PARA ISSO, AQUEÇA A FRIGIDEIRA EM FOGO MÉDIO, E QUANDO O SUCO DO COZIMENTO SE DEPOSITAR NO FUNDO E A GORDURA SUBIR À SUPERFÍCIE, ABAIXE O FOGO E COM UMA COLHER DE PAU RETIRE TODA A GORDURA POSSÍVEL. JUNTE O VINHO E MISTURE COM UMA COLHER PARA INCORPORÁ-LO AO SUCO DO COZIMENTO E DEIXE REDUZIR. ACRESCENTE O CREME DE LEITE E DEIXE REDUZIR. ACERTE O TEMPERO E JUNTE AS ERVAS. MISTURE O MOLHO À MASSA COZIDA E SIRVA IMEDIATAMENTE.

Essa receita foi criada pelo chef Domingos Carelli Neto, amigo e sócio, que, no começo dos anos 90, serviu-a num festival gastronômico realizado no Manacá.

Tempura de lulas recheadas com lentilha de Puy e cebola caramelizada em salada — 4 pessoas

INGREDIENTES

Para as lulas
12 lulas limpas
suco de 1/2 limão
sal e pimenta-do-reino
óleo para fritar

Para a lentilha com cebola caramelizada
300 g de lentilhas de Puy
1 cebola pequena inteira
2 cebolas médias picadas
3 colheres (sopa) de manteiga
1 colher (sopa) de óleo de milho
sal e pimenta-do-reino

Para a pasta do tempura
1/2 ovo batido
400 g (aproximadamente) de farinha de trigo
250 ml (aproximadamente) de água gelada
sal

Para acompanhar
salada verde suficiente para 4 pessoas
4 colheres (sopa) de azeite de oliva extravirgem
1/2 colher (sopa) de suco de limão ou vinagre branco
sal e pimenta-do-reino

MODO DE PREPARAR

Lulas
TEMPERE AS LULAS COM O SUCO DE LIMÃO, O SAL E A PIMENTA E SEQUE-AS COM PAPEL ABSORVENTE. RESERVE.

Lentilha
COZINHE A LENTILHA COM ÁGUA E A CEBOLA PEQUENA ATÉ QUE A LENTILHA ESTEJA TENRA MAS FIRME. FRITE AS CEBOLAS MÉDIAS NA MANTEIGA COM O ÓLEO ATÉ QUE FIQUEM CARAMELIZADAS. JUNTE A LENTILHA E TEMPERE COM SAL E PIMENTA.

Pasta do tempura
MISTURE TODOS OS INGREDIENTES. A MASSA DEVE ESTAR BEM FRIA, ENTRE 2ºC E 6ºC. PARA ALCANÇAR ESSA TEMPERATURA, COLOQUE A TIGELA COM A MASSA DENTRO DE UMA VASILHA COM ÁGUA E GELO. RECHEIE AS LULAS COM AS LENTILHAS, PASSE-AS PELA PASTA DE TEMPURA E FRITE-AS EM ÓLEO ABUNDANTE E BEM QUENTE (220ºC). SEQUE-AS EM PAPEL ABSORVENTE.

MONTAGEM

SIRVA AS LULAS SOBRE A SALADA VERDE, TEMPERADA COM O VINAGRETE FEITO COM AZEITE, SUCO DE LIMÃO, SAL E PIMENTA.

Essas lulas são excelentes como entrada ou como prato principal para uma refeição leve de verão. Devem ser consumidas logo após preparadas, pois podem umedecer e perder a textura crocante.

Spaguetti alle vongole — 4 a 6 pessoas

INGREDIENTES

500 g de spaguetti
1 cebola grande ralada
80 g de manteiga
150 ml de vinho branco seco
400 g de vongole sem casca
24 vongole com casca
150 ml de fundo de peixe (ver receita na p. 62) ou do caldo de cozimento das vongole
1 pimenta-de-cheiro sem sementes (opcional)
1 colher (sopa) de salsinha picada
sal e pimenta-do-reino

MODO DE PREPARAR

COZINHE O SPAGUETTI EM BASTANTE ÁGUA FERVENTE COM SAL E UM FIO DE ÓLEO. ESCORRA.
REFOGUE A CEBOLA NA MANTEIGA ATÉ COMEÇAR A DOURAR. COLOQUE O VINHO E DEIXE EVAPORAR. JUNTE AS VONGOLE, O FUNDO DE PEIXE E A PIMENTA-DE-CHEIRO. MISTURE O SPAGUETTI E O MOLHO, SALPIQUE A SALSINHA, ACERTE O TEMPERO E SIRVA.

A origem das vongole determina seu sabor, mais picante ou mais doce, assim como um eventual gosto de barro. Para as vongole bem mais picantes, prefiro o tempero de cebola e vinho branco (como o dessa receita) ao tradicional alho.

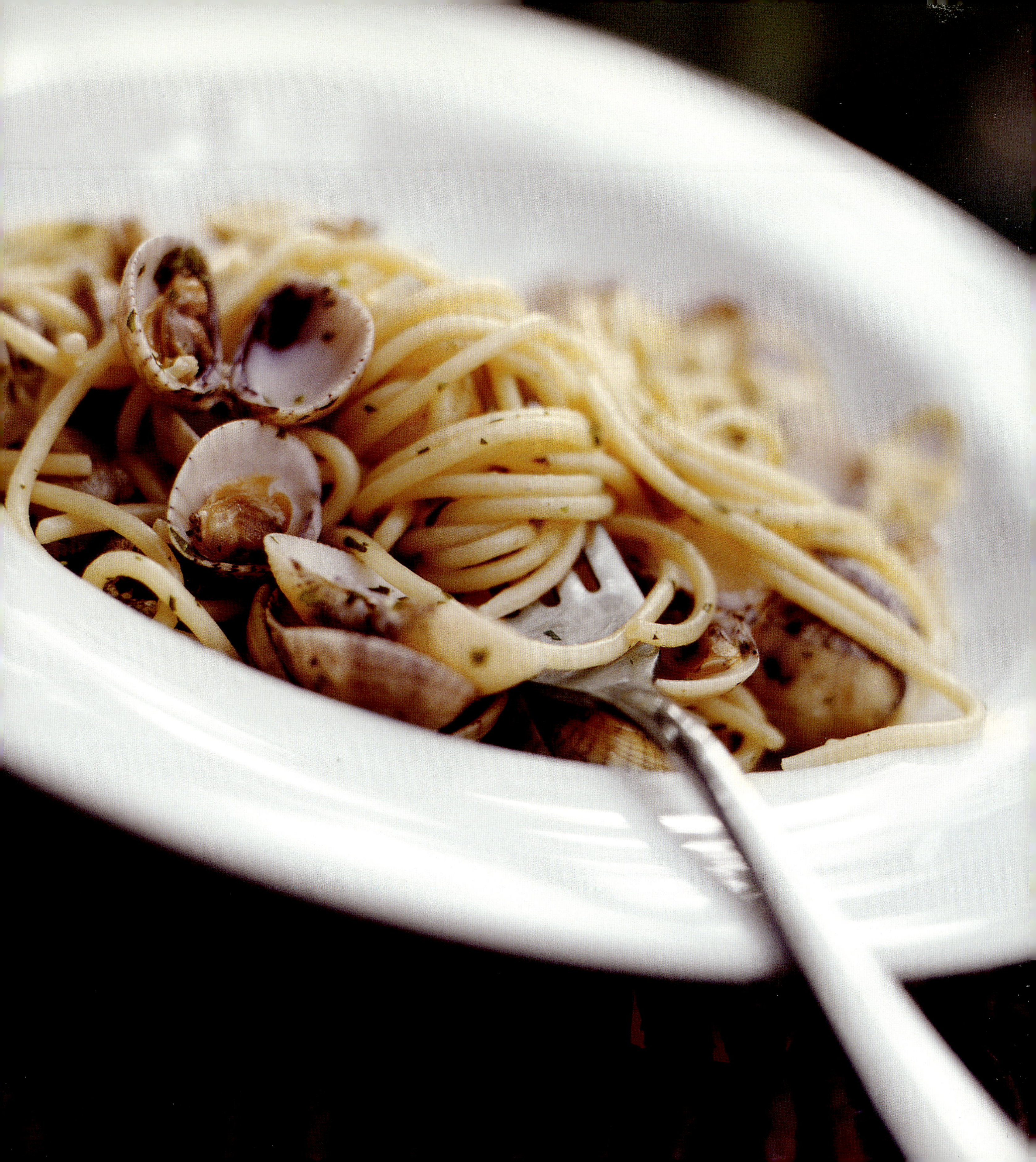

Refogado de polvo com grão-de-bico e agrião 4 pessoas

INGREDIENTES

1 kg de polvo
250 g de grão-de-bico
100 ml de azeite de oliva
1/2 colher (sopa) de alho picado
1 cebola ralada
1 alho-poró (só a parte branca) em rodelas
75 ml de vinho branco seco
1/2 maço de agrião
sal e pimenta-do-reino

MODO DE PREPARAR

COZINHE O POLVO, EM ÁGUA SUFICIENTE PARA COBRI-LO, POR 1 HORA APROXIMADAMENTE, ATÉ QUE ESTEJA MACIO. RESERVE O CALDO DO COZIMENTO. EM PANELA À PARTE, COZINHE O GRÃO-DE-BICO EM ÁGUA COM SAL. ESCORRA, ACRESCENTE METADE DO AZEITE E RESERVE. EM OUTRA PANELA, REFOGUE O ALHO COM O RESTANTE DO AZEITE, ACRESCENTE A CEBOLA E O ALHO-PORÓ E REFOGUE. JUNTE O POLVO E O GRÃO-DE-BICO. JUNTE O VINHO, DEIXE EVAPORAR UM POUCO E ACRESCENTE O CALDO DE COZIMENTO DO POLVO SUFICIENTE PARA COBRI-LO. FERVA POR 5 A 10 MINUTOS, ATÉ QUE O CALDO ESTEJA REDUZIDO À METADE. TEMPERE COM SAL E PIMENTA. LAVE O AGRIÃO, DESCARTE A PARTE GROSSA DOS CAULES E ACRESCENTE-O AO REFOGADO. SIRVA ACOMPANHADO DE UM BLEND DE ARROZ SELVAGEM E ARROZ BRANCO (VER RECEITA NA P. 58).

Existem muitas formas de deixar o polvo macio. Cada um tem sua receita. Eu primeiro limpo o polvo, depois o congelo e só então o levo à panela para cozinhar. Deixo por 1 hora aproximadamente ou até ficar macio. São sempre melhores se consumidos logo depois de cozidos. Quando refrigerados, ressecam e perdem a textura e o sabor.

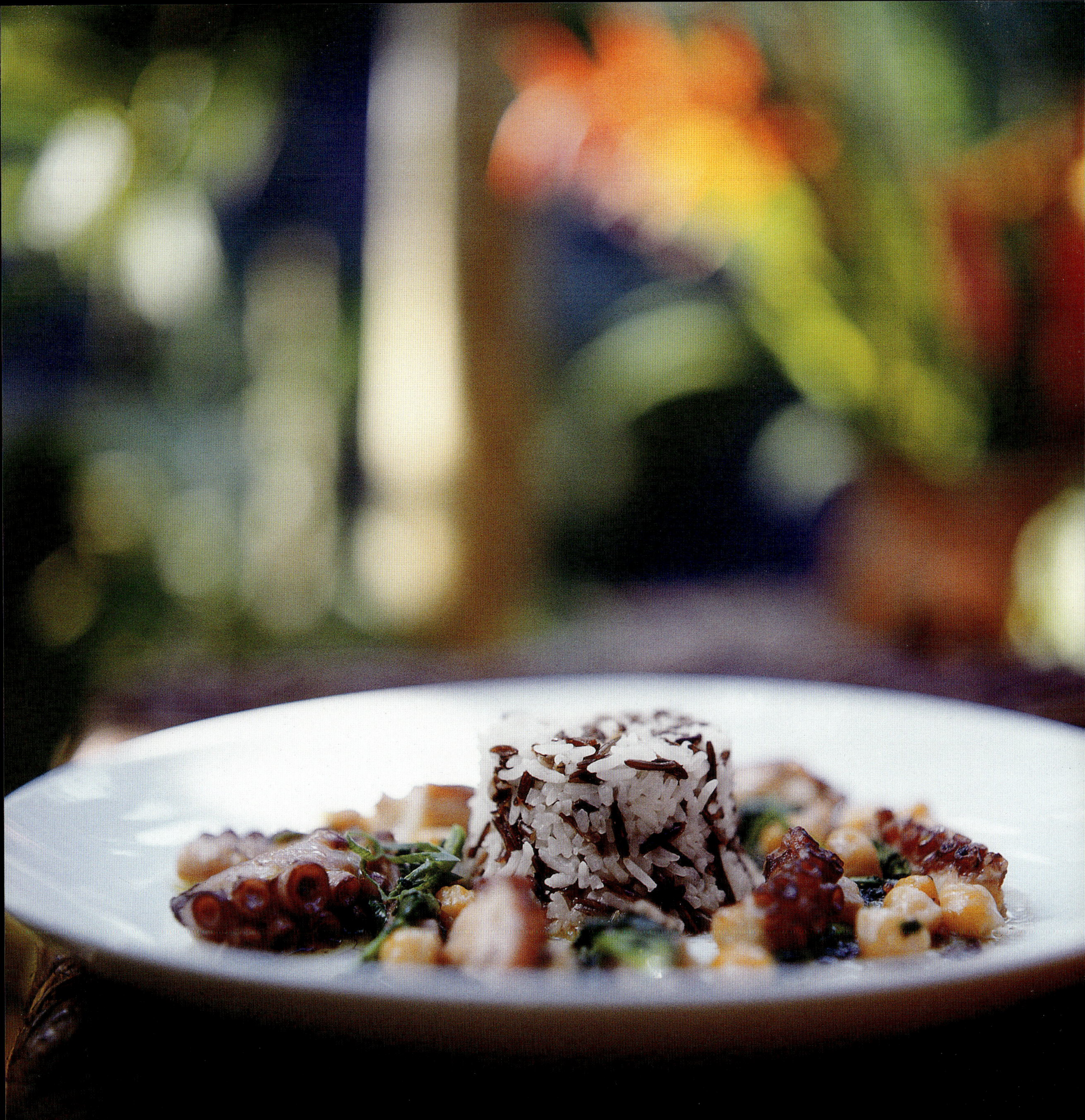

HASSAGNE-MONTRAC
Premier Cru "Les Vergers"
APPELLATION CONTRÔLÉE
S.C.E. DOMAINE RAMONET

Grelhado de frutos do mar e legumes 4 pessoas

INGREDIENTES

Para o azeite de ervas
250 ml de azeite de oliva extravirgem
1 colher (sopa) de ervas picadas (alecrim, salsinha, tomilho e manjericão)

Para os frutos do mar
8 camarões-rosa com casca
4 tentáculos de polvo
16 mexilhões em meia concha
8 lulas inteiras limpas
8 vieiras com ovas
suco de 1/2 limão
2 colheres (sopa) de azeite de oliva
3 dentes de alho muito bem picados
200 ml de vinho branco seco
1 colher (sopa) de ervas picadas (alecrim, salsinha, tomilho e manjericão)
1 tomate sem pele e sem sementes em cubinhos
2 colheres (sopa) de manteiga
sal e pimenta-do-reino

Para os legumes
4 tomates
16 fatias de berinjela
16 fatias de abobrinha
8 rodelas de alho-poró
sal

MODO DE PREPARAR

Azeite de ervas
PREPARE COM ANTECEDÊNCIA, MISTURANDO O AZEITE COM AS ERVAS. DEIXE EM LUGAR FRESCO E ESCURO POR 1 SEMANA.

Frutos do mar
LIMPE OS CAMARÕES, MANTENDO A CASCA E A CABEÇA. COM UMA TESOURA, FAÇA UM CORTE LONGITUDINAL NA CASCA. COZINHE O POLVO POR APROXIMADAMENTE 1 HORA EM ÁGUA SEM SAL SUFICIENTE PARA COBRI-LO.
COZINHE OS MEXILHÕES EM UMA PANELA SEM ÁGUA ATÉ ELES SE ABRIREM E SOLTAREM SEU LÍQUIDO. RETIRE A METADE VAZIA DAS CONCHAS.
TEMPERE OS CAMARÕES, AS LULAS E AS VIEIRAS COM O SUCO DE LIMÃO, O SAL E A PIMENTA.
NUMA FRIGIDEIRA DE FUNDO GROSSO, COLOQUE O AZEITE E GRELHE OS CAMARÕES, AS LULAS, AS VIEIRAS E OS MEXILHÕES. ACRESCENTE O ALHO E MEXA POR UNS 2 MINUTOS. RETIRE OS FRUTOS DO MAR, RESERVE EM LUGAR AQUECIDO E DEGLACE A FRIGIDEIRA COM O VINHO. PARA ISSO, AQUEÇA A FRIGIDEIRA EM FOGO MÉDIO, E QUANDO O SUCO DO COZIMENTO SE DEPOSITAR NO FUNDO E A GORDURA SUBIR À SUPERFÍCIE, ABAIXE O FOGO E COM UMA COLHER DE PAU RETIRE TODA A GORDURA POSSÍVEL. JUNTE O VINHO E MISTURE COM UMA COLHER PARA INCORPORÁ-LO AO SUCO DO COZIMENTO E DEIXE REDUZIR À METADE DO VOLUME ORIGINAL. ACRESCENTE AS ERVAS, O TOMATE E A MANTEIGA. COLOQUE OS FRUTOS DO MAR NOVAMENTE NA FRIGIDEIRA E RESERVE.

Legumes
CORTE O FUNDO E A TAMPA DOS TOMATES. NUMA FRIGIDEIRA, COLOQUE OS LEGUMES E OS TOMATES, SALPIQUE UM POUCO DE SAL E GRELHE.

MONTAGEM

SIRVA OS FRUTOS DO MAR ACOMPANHADOS DOS LEGUMES REGADOS COM O AZEITE DE ERVAS.

Esse misto grelhado de frutos do mar e legumes é um prato despretensioso, mas muito saboroso. Bom para comer à beira da piscina ou depois da praia.

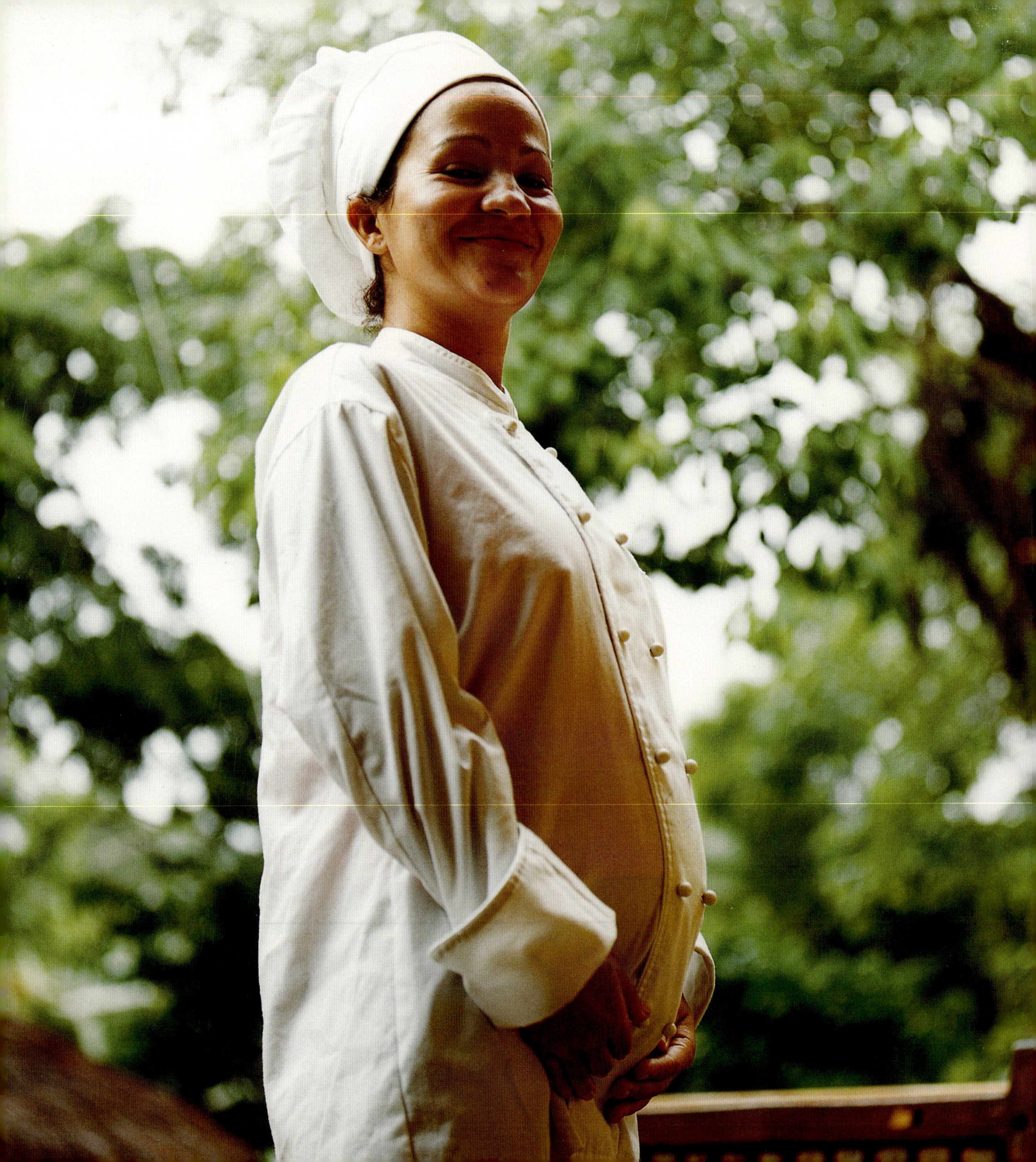

crustáceos

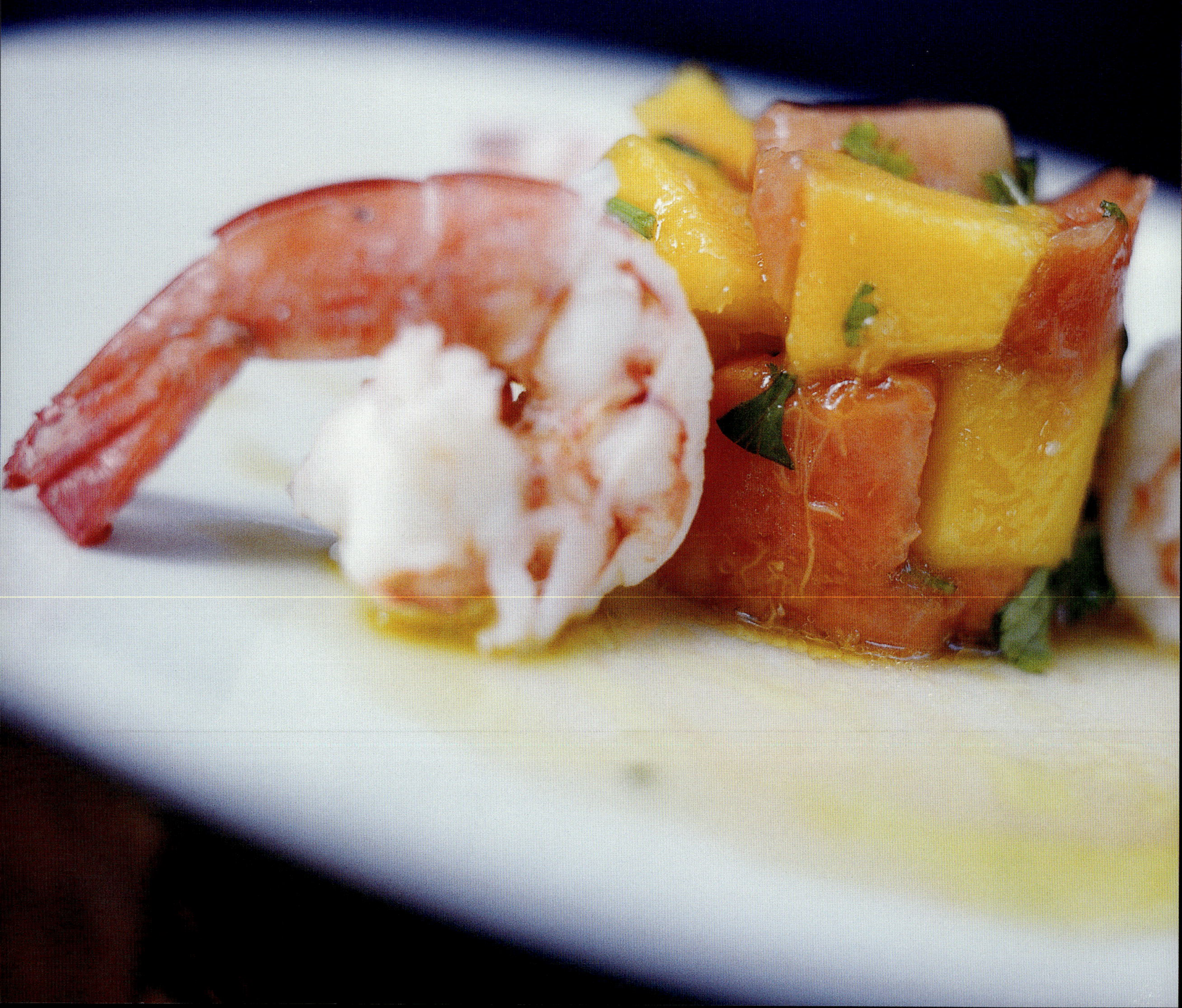

Salada de camarões com manga, papaia e coentro — 4 pessoas

INGREDIENTES

12 camarões-rosa médios
1 xícara de água
1/2 limão
1 manga em cubos
1 mamão papaia em cubos
1 ramo de coentro picado
200 ml de azeite de oliva extravirgem
suco de 1/2 limão
1 colher (chá) de pimenta rosa
sal e pimenta-do-reino

MODO DE PREPARAR

LIMPE OS CAMARÕES DEIXANDO A CAUDA. FERVA A ÁGUA COM 1/2 LIMÃO, SAL E PIMENTA. COZINHE OS CAMARÕES AO PONTO E RESERVE. MISTURE A MANGA E O MAMÃO COM O COENTRO, O AZEITE, O SUCO DE LIMÃO E A PIMENTA. MONTE A MISTURA DE MANGA E PAPAIA NO CENTRO DE CADA PRATO, DISPONHA OS CAMARÕES EM VOLTA REGADOS COM O CALDO DA MISTURA. SALPIQUE COM PIMENTA ROSA.

A mistura de papaia, manga e coentro é ótima também com lagostins e cavaquinhas e tem sabor bem brasileiro. Na praia ou na cidade, sua apresentação inspira sempre um certo exotismo. Excelente como entrada.

Lagostins e alcachofras em vinagrete de tomates verdes e vermelhos com azeite de sálvia 2 pessoas

INGREDIENTES

Para o vinagrete
1 cebola pequena em cubinhos
6 colheres (sopa) de azeite de oliva extravirgem
1 colher (sopa) de vinagre de vinho branco
1 tomate verde sem pele e sem sementes em cubinhos
1 tomate vermelho sem pele e sem sementes em cubinhos
1 colher (sopa) de salsinha picada
1 colher (sopa) de folhas miúdas de manjericão
1 colher (sopa) de cebolinha em rodelas
sal e pimenta-do-reino

Para as alcachofras
6 fundos de alcachofra
2 colheres (sopa) de azeite de oliva extravirgem
6 folhas de sálvia em tiras finas
sal e pimenta-do-reino

Para os lagostins
18 lagostins
1 cenoura em pedaços
1 talo de salsão em pedaços
1 ramo de salsinha
1 cebola pequena em pedaços
1 ramo de manjericão
sal e pimenta-do-reino

MODO DE PREPARAR

Vinagrete
REFOGUE A CEBOLA EM 1 COLHER (SOPA) DO AZEITE, ATÉ FICAR TRANSPARENTE. RETIRE DO FOGO E ACRESCENTE O VINAGRE, OS TOMATES E O AZEITE RESTANTE. TEMPERE COM SAL E PIMENTA. MISTURE AS ERVAS E RESERVE.

Alcachofras
COZINHE OS FUNDOS DE ALCACHOFRA EM ÁGUA COM SAL. REFOGUE-OS NO AZEITE COM A SÁLVIA, TEMPERE COM SAL E PIMENTA E RESERVE.

Lagostins
PREPARE UM COURT-BOUILLON (CALDO USADO PARA AROMATIZAR PEIXES E FRUTOS DO MAR). PARA ISSO, FAÇA UM CALDO COM ÁGUA E O RESTANTE DOS INGREDIENTES INDICADOS. JUNTE OS LAGOSTINS COM AS CASCAS E COZINHE POR UNS 5 MINUTOS. SEPARE OS 6 MAIS BONITOS, LIMPE AS CABEÇAS E RETIRE DELES SOMENTE A MEMBRANA QUE RECOBRE A CAUDA. RESERVE. RETIRE A CARNE DOS 12 LAGOSTINS RESTANTES E RESERVE.

MONTAGEM

PARA CADA PRATO, UTILIZE 3 FUNDOS DE ALCACHOFRA E 6 LAGOSTINS. VÁ INTERCALANDO OS FUNDOS DE ALCACHOFRA E OS LAGOSTINS EM CAMADAS NO CENTRO DO PRATO. DESPEJE O VINAGRETE EM VOLTA E SALPIQUE COM SALSINHA E CEBOLINHA PICADAS. DECORE COM OS LAGOSTINS RESTANTES E SIRVA MORNO OU QUENTE.

Você pode substituir os lagostins por camarões. Prefiro os primeiros, pela textura macia e sabor doce (que contrastam bem com as alcachofras) e pela exuberante apresentação.

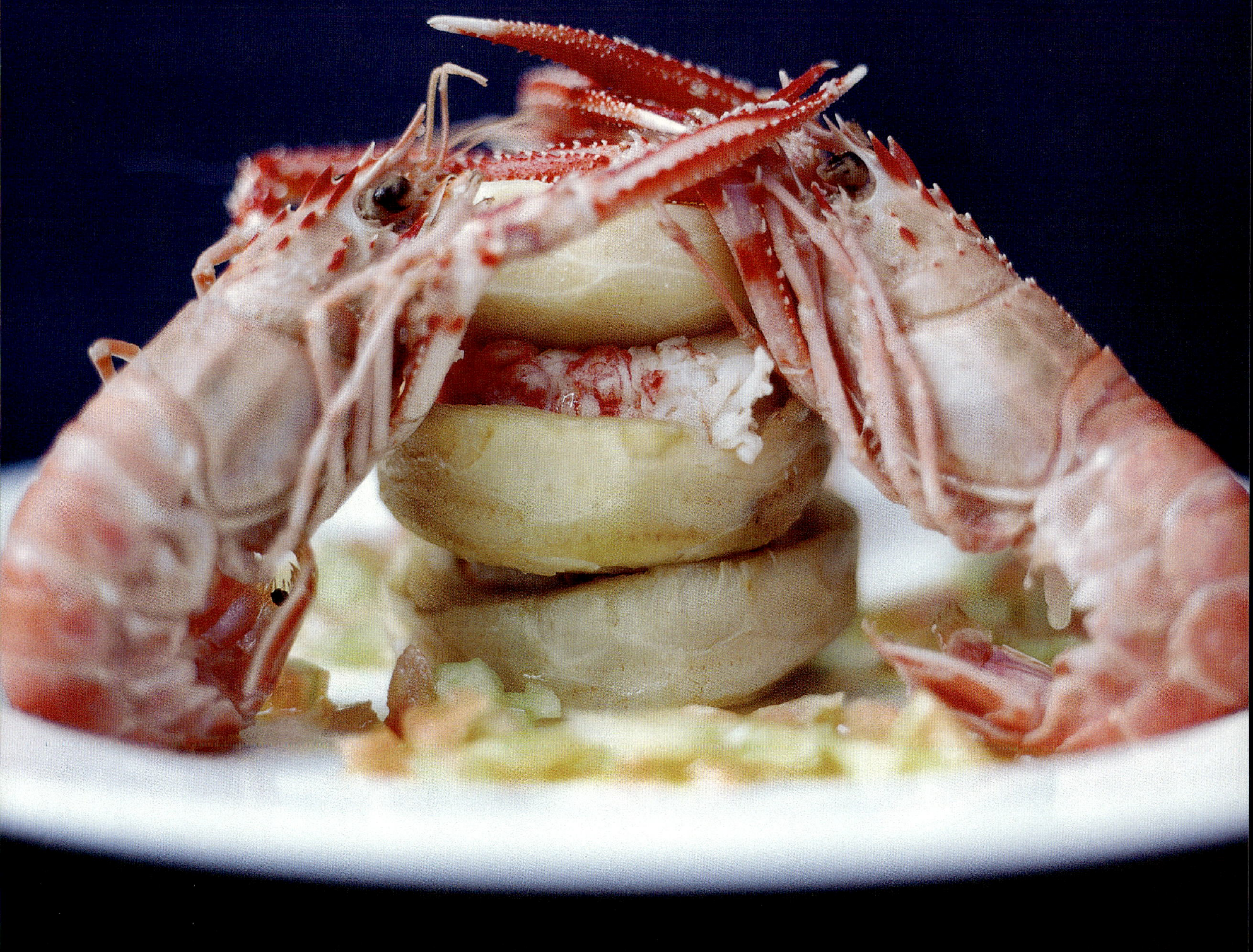

Casquinhas de siri *12 unidades*

INGREDIENTES

3 colheres (sopa) de óleo de milho
1 colher (sopa) de manteiga
1 cebola média ralada
3 tomates maduros e firmes sem pele em cubos
500 g de carne de siri desfiada de boa procedência
2 pães amanhecidos sem casca
2 xícaras de leite
1 colher (sopa) de alho picado e frito em óleo de milho
2 colheres (sopa) de salsinha picada
2 colheres (sopa) de cebolinha picada
sal e pimenta-do-reino

MODO DE PREPARAR

NUMA PANELA DE FUNDO GROSSO, JUNTE O ÓLEO DE MILHO E A MANTEIGA E REFOGUE A CEBOLA ATÉ DOURAR LEVEMENTE. ACRESCENTE OS TOMATES E DEIXE COZINHAR POR UNS 2 MINUTOS, OU ATÉ QUE OS TOMATES SE DESMANCHEM. ADICIONE O SIRI LIMPO E O PÃES PREVIAMENTE EMBEBIDOS NO LEITE. TEMPERE COM SAL E PIMENTA E COZINHE EM FOGO MÉDIO POR UNS 30 MINUTOS. QUANDO ATINGIR UMA CONSISTÊNCIA CREMOSA, JUNTE O ALHO, A SALSINHA E A CEBOLINHA, MISTURE VIGOROSAMENTE E DESLIGUE O FOGO. DEIXE DESCANSAR E SIRVA EM CASQUINHAS MUITO BEM LAVADAS E ESCALDADAS.

O mais importante para uma boa casquinha de siri é a qualidade e pureza do siri. Eu gosto bastante de sua consistência cremosa e delicada. É um sucesso!

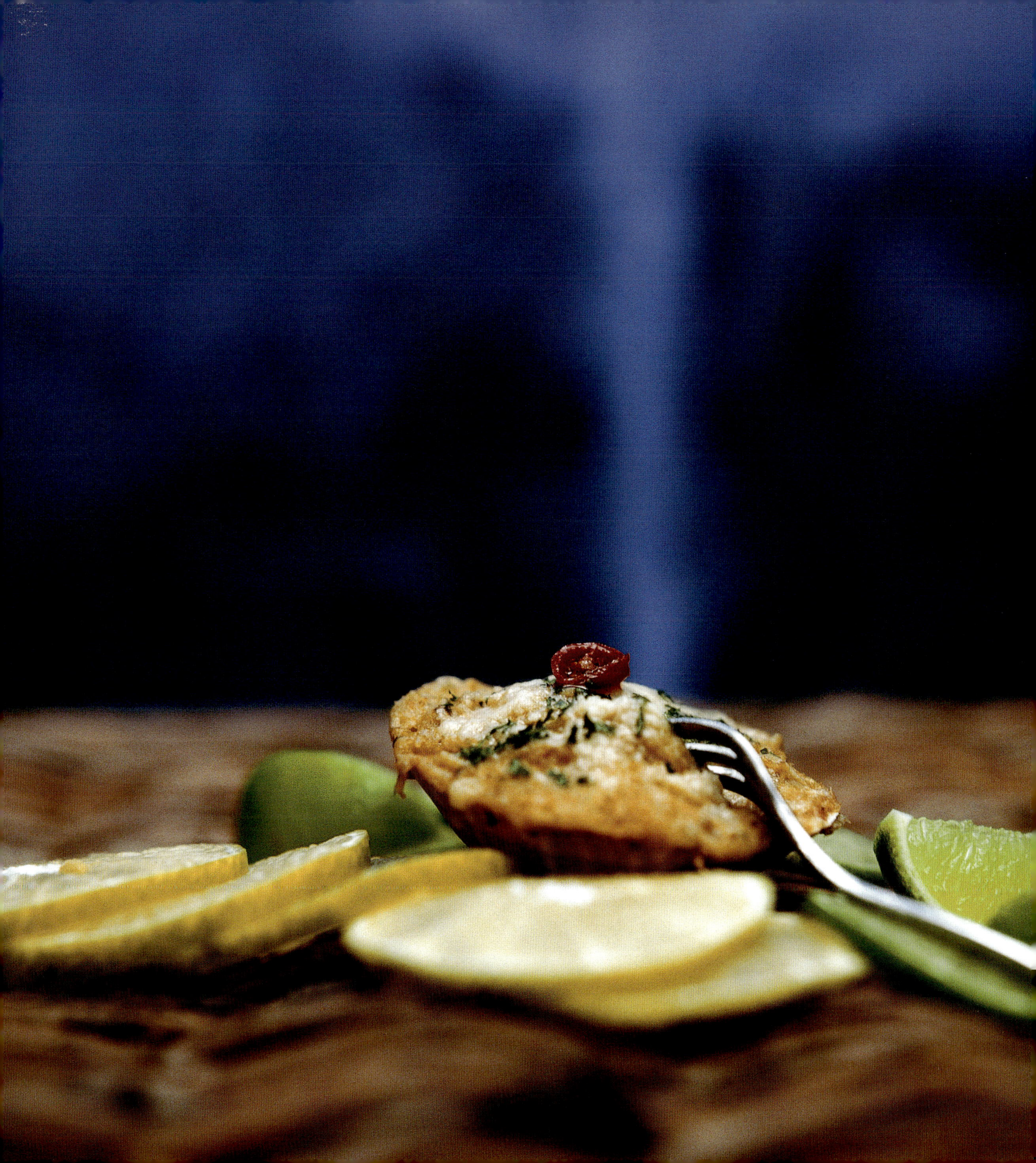

Casadinho crocante de camarões em salada com vinagrete de amendoim   4 pessoas

INGREDIENTES

Para o vinagrete

1/2 colher (sopa) de pimenta-do-reino em grão
1/2 colher (sopa) de coentro em grão
1 colher (sopa) de vinagre de vinho branco
1 colher (sopa) de mostarda escura
1/2 colher (chá) de mel
1 colher (sopa) de cebolinha picada
1 colher (sopa) de salsinha picada
1 colher (sopa) de estragão fresco
1 colher (sopa) de shoyu
8 colheres (sopa) de azeite de oliva extravirgem
8 colheres (sopa) de amendoim torrado sem casca
sal

Para o camarão

8 camarões-rosa limpos com a cauda
suco de 1/2 limão
3 ovos batidos
100 ml de leite
farinha de trigo para empanar
1 litro de óleo de milho
sal e pimenta-do-reino

Para a salada

4 folhas de alface-americana
4 folhas de radicchio
folhas de miniagrião
folhas tenras de rúcula
folhas de alface frisée

MODO DE PREPARAR

Vinagrete

QUEBRE OS GRÃOS DE PIMENTA E DE COENTRO E JUNTE O VINAGRE, A MOSTARDA, O MEL, AS ERVAS, O SHOYU E O SAL. EM SEGUIDA, ACRESCENTE O AZEITE E RESERVE. NA HORA DE SERVIR, SALPIQUE COM O AMENDOIM.

Camarão

TEMPERE OS CAMARÕES COM O SUCO DE LIMÃO, O SAL E A PIMENTA. COM AJUDA DE DOIS PALITOS, EMPANE OS CAMARÕES ENTRELAÇADOS EM PARES, PASSANDO-OS PELO OVO BATIDO MISTURADO COM O LEITE E O SAL E DEPOIS PELA FARINHA DE TRIGO. NUMA PANELA, AQUEÇA O ÓLEO DE MILHO E FRITE OS CAMARÕES ATÉ FICAREM DOURADOS. SEQUE SOBRE PAPEL ABSORVENTE.

MONTAGEM

LAVE AS VERDURAS E MONTE A SALADA NO CENTRO DE PRATOS INDIVIDUAIS. POR CIMA, DISPONHA OS CASADINHOS DE CAMARÕES SOBRE A SALADA E, EM VOLTA, O VINAGRETE DE AMENDOIM.

Esta insinuante salada é sempre servida como entrada em ocasiões românticas: lua-de-mel, bodas ou simplesmente um jantar a dois. Dizem as bruxas que o casadinho ajuda a manter a união do casal.

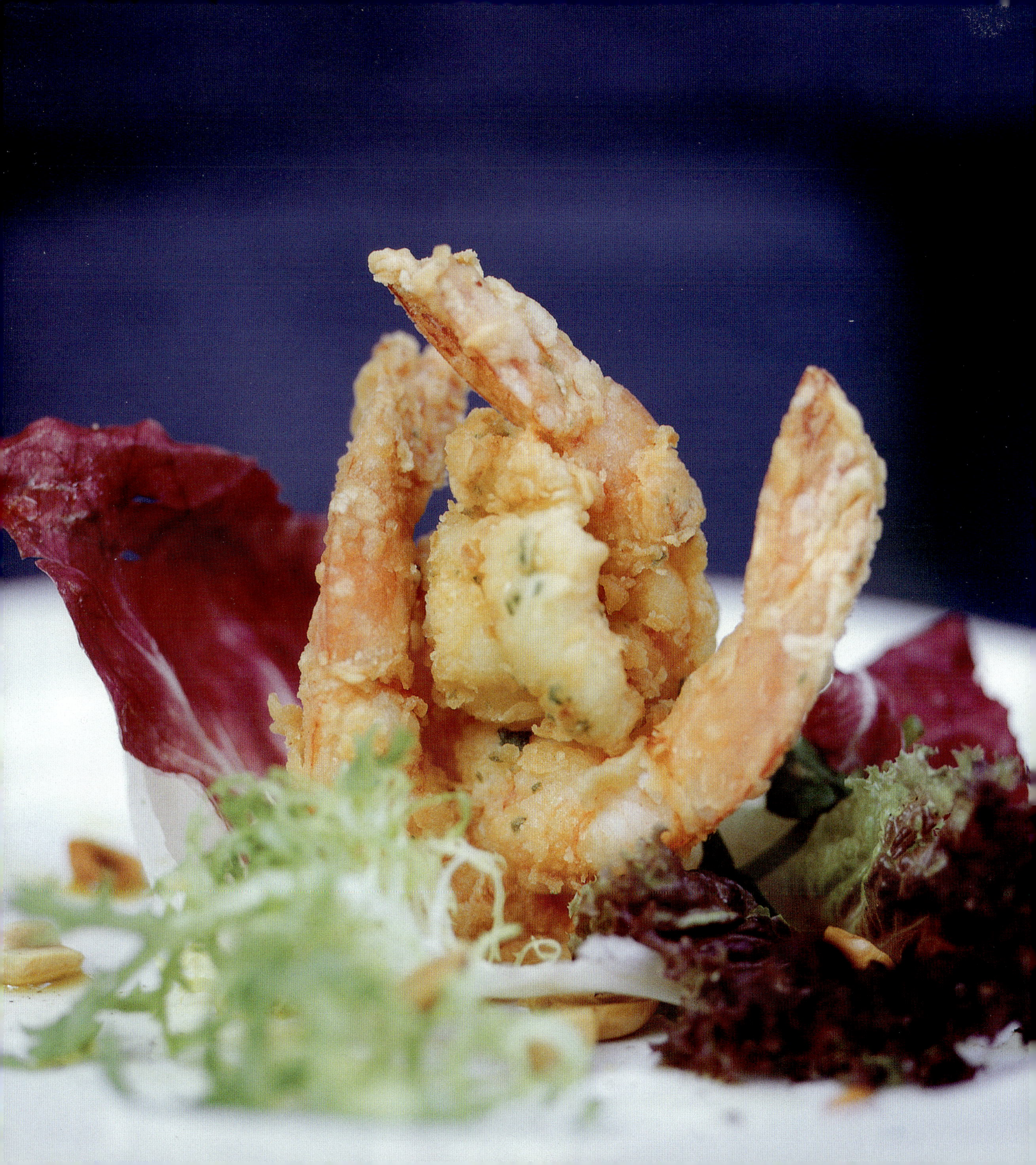

Ceviche de lagosta e frutas cítricas em emulsão de wasabi e azeite de ervas — 4 pessoas

INGREDIENTES

Para a emulsão de wasabi
3 colheres (sopa) de creme de leite fresco
1 colher (sopa) de wasabi / sal

Para o azeite de ervas
6 colheres (sopa) de azeite de oliva extravirgem
2 colheres (sopa) de suco de limão
1 colher (sopa) de salsinha picada
1 colher (sopa) de cebolinha picada
sal e pimenta-do-reino

Para a lagosta
1 cauda de lagosta fresca / 2 limões
suco de 1/2 laranja / suco de 1/2 tangerina
suco de 1/2 lima-da-pérsia
suco de 1/2 limão-siciliano
1 pimenta-de-cheiro fresca sem sementes em tirinhas
8 gomos de laranja / 8 gomos de tangerina
8 gomos de lima-da-pérsia
fatias transparentes de limão-siciliano
sal e pimenta-do-reino

MODO DE PREPARAR

Emulsão de wasabi
MISTURE O CREME DE LEITE E O WASABI E BATA ATÉ FORMAR UM CREME ESPESSO COMO CHANTILLY. TEMPERE COM SAL. RESERVE EM GELADEIRA.

Azeite de ervas
MISTURE O AZEITE, O SUCO, O SAL E A PIMENTA. EM OUTRA VASILHA, MISTURE A SALSINHA E A CEBOLINHA E RESERVE.

Lagosta
LIMPE A LAGOSTA, CORTE A CAUDA NO SENTIDO LONGITUDINAL E FAÇA VÁRIOS ESCALOPES, COMO SASHIMIS. ESPREMA OS 2 LIMÕES SOBRE OS ESCALOPES, TEMPERE COM SAL E PIMENTA E DEIXE MARINAR POR 10 MINUTOS NA GELADEIRA. À PARTE, MISTURE OS SUCOS DAS FRUTAS CÍTRICAS E A PIMENTA-DE-CHEIRO. MISTURE OS ESCALOPES COM A MISTURA DE SUCO E DEIXE MARINAR POR PELO MENOS 10 MINUTOS, SEMPRE NA GELADEIRA.

MONTAGEM
SIRVA O CEVICHE BEM FRIO, COM OS GOMOS DE FRUTAS CÍTRICAS, ACOMPANHADO DO AZEITE DE ERVAS E DA EMULSÃO DE WASABI. SALPIQUE COM A CEBOLINHA E A SALSINHA.

Essa é uma belíssima entrada de verão, sensual e estimulante. Em festas, pode ser servida dentro da cauda da lagosta aberta pelas costas. As frutas cítricas amenizam o sabor azedo do limão, tornando o ceviche delicado.

Camarões à provençal — 4 pessoas

INGREDIENTES

1 alho-poró picado
4 colheres (sopa) de manteiga
20 camarões grandes sem casca com cauda
suco de 1/2 limão
1 colher (sopa) de alho picado
300 ml de vinho branco seco
1 colher (sopa) de ervas picadas (salsinha, manjericão, tomilho e alecrim)
1 tomate sem pele e sem sementes em cubinhos
sal e pimenta-do-reino

MODO DE PREPARAR

NUMA FRIGIDEIRA GRANDE, REFOGUE O ALHO-PORÓ EM 2 COLHERES (SOPA) DA MANTEIGA. JUNTE OS CAMARÕES, JÁ TEMPERADOS COM O SUCO DE LIMÃO, O SAL E A PIMENTA E REFOGUE ATÉ QUE ESTEJAM AO PONTO. ACRESCENTE O ALHO E REFOGUE POR MAIS 2 MINUTOS. RETIRE OS CAMARÕES E RESERVE-OS EM LUGAR AQUECIDO. DEGLACE A FRIGIDEIRA COM O VINHO. PARA ISSO, AQUEÇA A FRIGIDEIRA EM FOGO MÉDIO, E QUANDO O SUCO DO COZIMENTO SE DEPOSITAR NO FUNDO E A GORDURA SUBIR À SUPERFÍCIE, ABAIXE O FOGO E COM UMA COLHER DE PAU RETIRE TODA A GORDURA POSSÍVEL. JUNTE O VINHO E MISTURE COM UMA COLHER PARA INCORPORÁ-LO AO SUCO DO COZIMENTO E DEIXE REDUZIR À METADE. ADICIONE AS ERVAS E O TOMATE E, POR FIM, JUNTE A MANTEIGA RESTANTE EM PEDAÇOS PEQUENOS, EMULSIONANDO O MOLHO. SIRVA ACOMPANHADO DE ARROZ BRANCO OU BATATA SAUTÉE.

Pode-se usar também manteiga clarificada e tostada em lugar da manteiga fresca. Agrada-me muito o sabor meio nutty com alho e ervas.

Lagosta picante em molho de coco e abacaxi — 4 pessoas

INGREDIENTES

Para o arroz
150 g de arroz de jasmim
300 ml de água
2 fatias de abacaxi
sal

Para o fundo de lagosta
1 cabeça de lagosta / 1 litro de água
1/2 cebola em pedaços / 1/2 salsão em pedaços
1/2 cenoura em pedaços / 1 rodela de alho-poró
pimenta-do-reino em grão

Para o molho de coco
1 coco grande (para obter 1 xícara de leite de coco fresco)
1 colher (sopa) de manteiga / 1/2 cebola ralada
1 xícara de fundo de lagosta
1/2 xícara de vinho branco seco
sal e pimenta-do-reino

Para a lagosta
1 lagosta grande (reserve a cabeça para usar no fundo de lagosta)
3 colheres (sopa) de óleo de milho
1 cebola em 4 meias-luas
1 colher (sopa) de gengibre cortado à juliana
1/4 colher (chá) de óleo de gergelim
2 folhas de limão-cravo
2 colheres (sopa) de folhas de coentro picadas
1/2 cenoura cortada à juliana
1 pedaço de nabo de 4 dedos cortado à juliana
2 pedaços de broto de bambu cozidos
3 ervilhas tortas cortadas em pedaços diagonalmente
1 pedaço de palmito-pupunha em tiras
2 colheres (sopa) de coco fresco em tiras
1 pimenta-de-cheiro fresca em tirinhas
3 talos de cebolinha picados
sal e pimenta-do-reino

MODO DE PREPARAR

Arroz
COZINHE O ARROZ COM UM POUCO DE SAL E RESERVE. COZINHE AS FATIAS DE ABACAXI NO VAPOR, CORTE-AS EM CUBOS PEQUENOS E RESERVE.

Fundo de lagosta
LIMPE BEM A CABEÇA DA LAGOSTA E COZINHE COM TODOS OS INGREDIENTES POR CERCA DE 45 MINUTOS. COE E RESERVE.

Molho de coco
DESCASQUE, RALE E BATA O COCO NO LIQUIDIFICADOR COM 3/4 DE XÍCARA DE ÁGUA. COE NUM PANO LIMPO, TORCENDO BEM PARA EXTRAIR TODO O LEITE DO COCO. RESERVE.
NUMA PANELA, COLOQUE A MANTEIGA E REFOGUE A CEBOLA ATÉ FICAR TRANSPARENTE, JUNTE O FUNDO DE LAGOSTA E O VINHO BRANCO E FERVA POR 10 MINUTOS. ADICIONE O LEITE DE COCO E FERVA ATÉ ESTAR REDUZIDO À METADE. TEMPERE COM SAL E PIMENTA E RESERVE.

Lagosta
CORTE A CAUDA DA LAGOSTA AO MEIO E LIMPE. RETIRE A LAGOSTA DA CASCA E CORTE-A EM ESCALOPES. NUMA FRIGIDEIRA FUNDA, COLOQUE O ÓLEO DE MILHO E REFOGUE A CEBOLA E O GENGIBRE. JUNTE A LAGOSTA E, EM SEGUIDA, OS OUTROS INGREDIENTES. COZINHE ATÉ QUE ESTEJAM AO PONTO. TEMPERE COM SAL E PIMENTA.

MONTAGEM

DIVIDA A LAGOSTA EM DUAS PORÇÕES E SIRVA DENTRO DAS METADES DA CASCA, SOBRE O MOLHO DE COCO, ACOMPANHADA DO ARROZ MISTURADO COM O ABACAXI.

Esse é o modo pelo qual fazemos um thai no Manacá. Não é a maneira ortodoxa, pois adaptamos a receita a nossos ingredientes, mas é um sucesso.

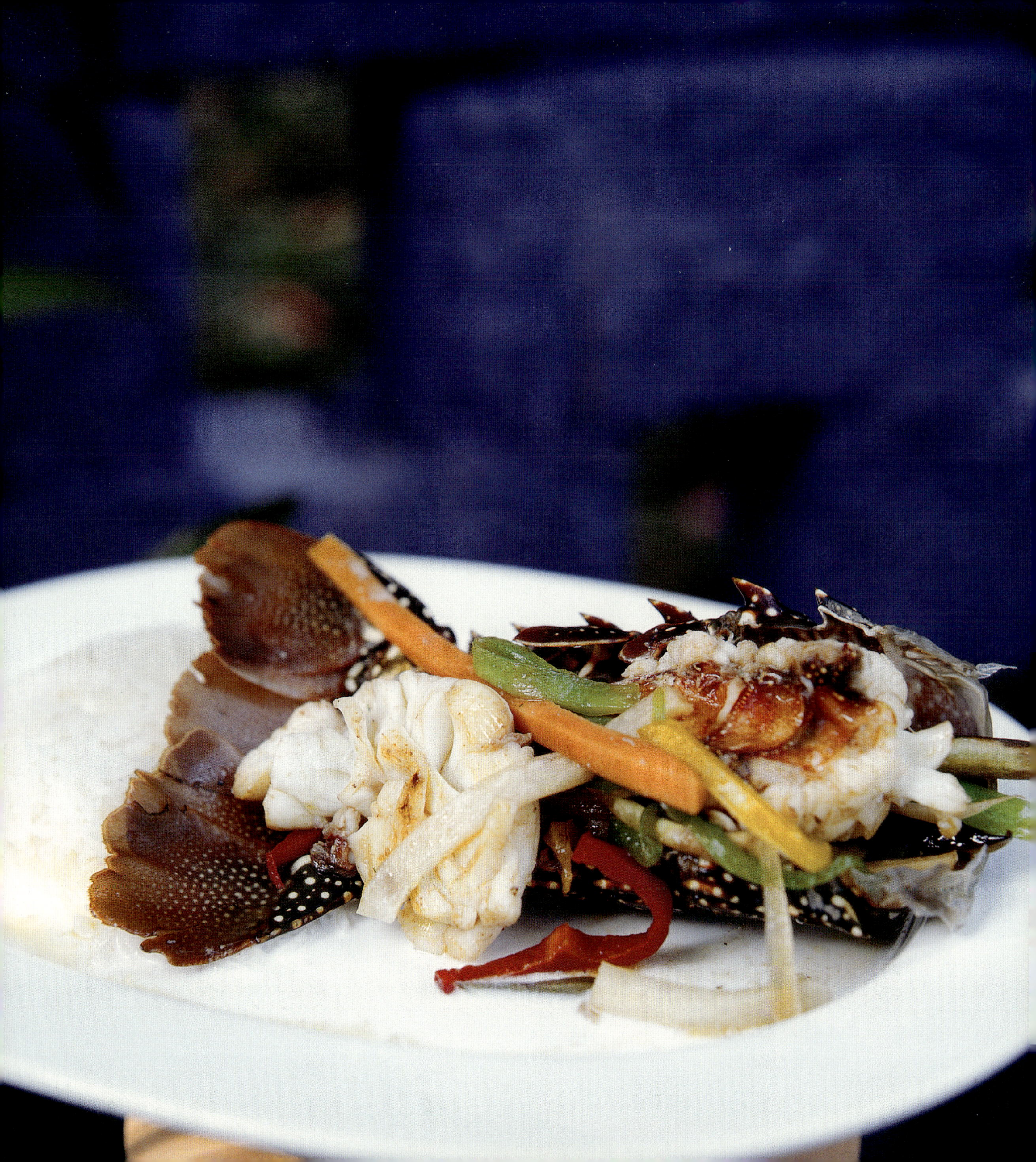

Camarão ao creme de queijos 4 pessoas

INGREDIENTES

Para o creme de queijos
80 g de queijo ementhal
125 g de cream cheese
600 g de requeijão
150 ml de leite
sal

Para o camarão
2 colheres (sopa) de manteiga
1/2 alho-poró em fatias finas
1/2 cebola cortada em meias-luas
16 camarões grandes sem casca
suco de 1/2 limão
sal e pimenta-do-reino

MODO DE PREPARAR

Creme de queijos
MISTURE TODOS OS INGREDIENTES E LEVE AO FOGO MÉDIO, MEXENDO SEMPRE, ATÉ OBTER UMA MISTURA HOMOGÊNEA. RESERVE.

Camarão
NUMA FRIGIDEIRA GRANDE, COLOQUE A MANTEIGA E REFOGUE O ALHO-PORÓ E A CEBOLA. QUANDO ESTIVEREM TRANSPARENTES, ACRESCENTE OS CAMARÕES JÁ TEMPERADOS COM O SUCO DE LIMÃO, O SAL E A PIMENTA. REFOGUE ATÉ QUE ESTEJAM COZIDOS, TOMANDO O CUIDADO DE NÃO PASSAR DO PONTO. MISTURE OS CAMARÕES COM O CREME DE QUEIJOS E SIRVA ACOMPANHADO DE ARROZ BRANCO E BATATA PALHA.

Molhos de queijo podem ser deliciosos em sua simplicidade.
A qualidade dos queijos é que irá determinar o resultado final.

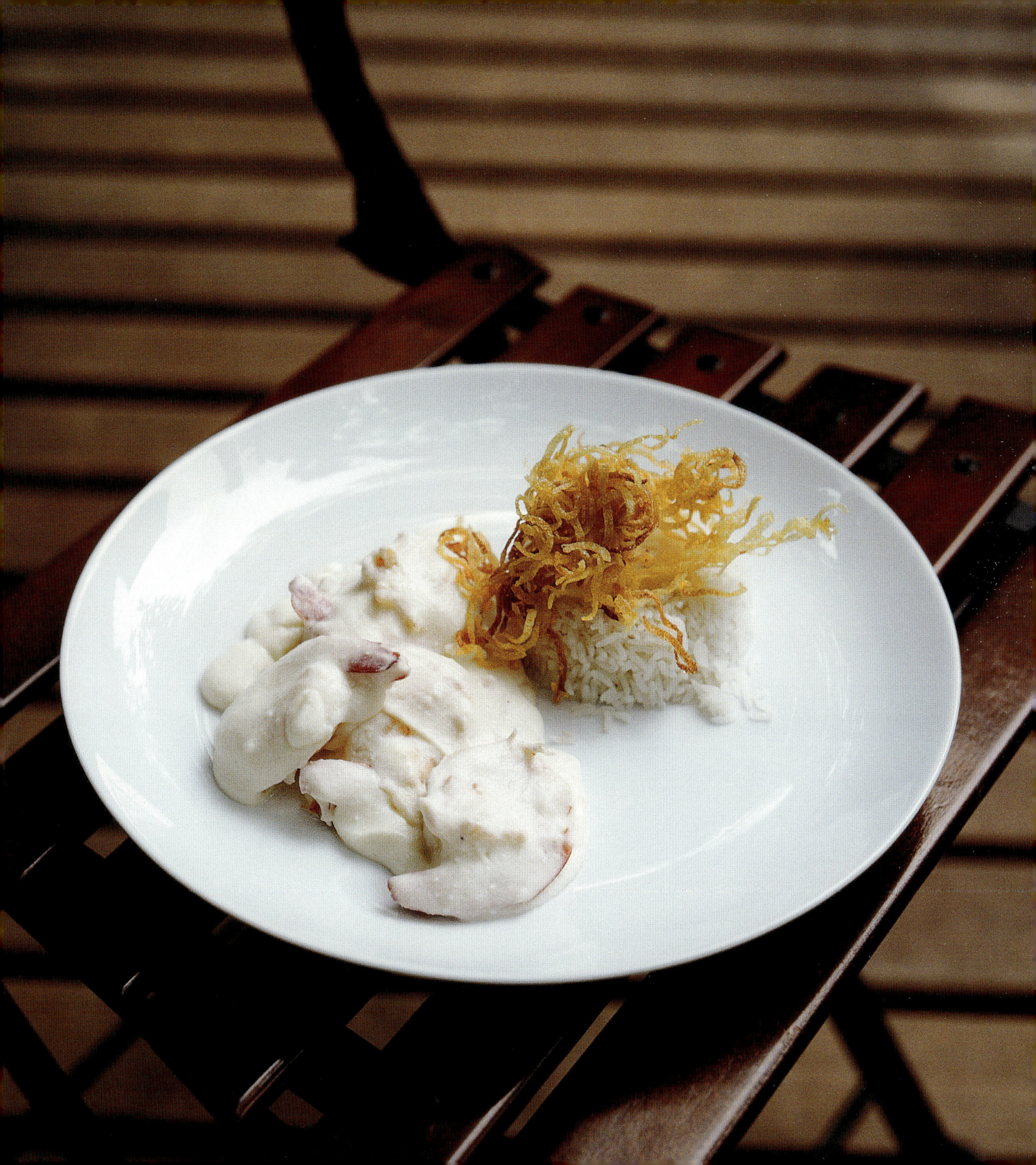

Camarões flambados em conhaque com tagliatelle ao funghi 4 pessoas

INGREDIENTES

Para o molho
50 g de funghi porcini / 500 ml de água morna
2 colheres (sopa) de azeite de oliva extravirgem
1 cebola grande em fatias / 1 dente de alho
1 cenoura pequena em rodelas
1 talo de salsão em tiras
250 g de carcaça de frango
1 colher (sopa) de manteiga
200 ml de creme de leite fresco
sal e pimenta-do-reino

Para o camarão
2 colheres (sopa) de manteiga
20 camarões limpos com cauda
suco de 1/2 limão / 1/2 maço de cebolinha picada
100 ml de conhaque / sal e pimenta-do-reino

Para o tagliatelle
350 g de tagliatelle
4 litros de água / sal grosso

MODO DE PREPARAR

Molho
COLOQUE OS FUNGHI DE MOLHO NA ÁGUA MORNA POR 20 MINUTOS. RETIRE-OS (GUARDE A ÁGUA), ESPREMA E CORTE GROSSEIRAMENTE. RESERVE. COE A ÁGUA EM FILTRO DE PAPEL E RESERVE. NUMA PANELA, AQUEÇA O AZEITE E REFOGUE AS CEBOLAS, O ALHO, A CENOURA E O SALSÃO. JUNTE A CARCAÇA DE FRANGO E REFOGUE ATÉ QUE TUDO ESTEJA DOURADO. ACRESCENTE A ÁGUA DOS FUNGHI E REDUZA À METADE. COE E RESERVE. EM OUTRA PANELA, COLOQUE A MANTEIGA E OS FUNGHI E MEXA BEM POR UNS 2 MINUTOS. ACRESCENTE O CALDO DE FRANGO COADO E O CREME DE LEITE, DEIXE FERVER E TEMPERE COM SAL E PIMENTA. RESERVE.

Camarão
NUMA FRIGIDEIRA GRANDE, COLOQUE A MANTEIGA, JUNTE OS CAMARÕES (PREVIAMENTE TEMPERADOS COM O SUCO DE LIMÃO), A CEBOLINHA, O SAL, A PIMENTA E REFOGUE. TAMPE, SE NECESSÁRIO. DEPOIS DE COZIDOS, FLAMBE COM O CONHAQUE.

Tagliatelle
FERVA A ÁGUA COM O SAL GROSSO. COZINHE A MASSA ATÉ FICAR AL DENTE, ESCORRA, MISTURE COM O MOLHO E DEIXE INCORPORAR BEM. SIRVA ACOMPANHANDO OS CAMARÕES FLAMBADOS.

Camarões e funghi combinam maravilhosamente bem. Mas não abuse dessa combinação no verão.

Lagosta grelhada em molho de laranja e manjericão com salada verde 2 pessoas

INGREDIENTES

Para o molho
150 ml de azeite
1 colher (sopa) de vinagre balsâmico
1 colher (sopa) de vinagre de vinho branco
suco de 2 laranjas
1 colher (sopa) de chutney de maçã
1 colher (sopa) de manjericão
1/2 colher (sopa) de shoyu
sal e pimenta-do-reino

Para a lagosta
1 lagosta
1 colher (sopa) de manteiga
1 alho-poró em pedaços grandes
(apenas a parte branca)
sal e pimenta-do-reino
folhas verdes variadas

MODO DE PREPARAR

Molho
BATA TODOS OS INGREDIENTES NO LIQUIDIFICADOR E RESERVE.

Lagosta
LIMPE A LAGOSTA, CORTE NO SENTIDO LONGITUDINAL E TEMPERE COM SAL E PIMENTA. NUMA FRIGIDEIRA GRANDE, COLOQUE A MANTEIGA E O ALHO-PORÓ, JUNTE A LAGOSTA E DEIXE GRELHAR. QUANDO ESTIVER AO PONTO, VIRE A CASCA PARA BAIXO E TERMINE O COZIMENTO. SIRVA EM SEGUIDA, ACOMPANHADA DA SALADA E DO MOLHO.

Comer lagosta é sempre um acontecimento. Exótica, cara e cada vez mais escassa, a lagosta ficará mais saborosa quanto mais simples for seu preparo. Deve ser cozida ao ponto: o cozimento prolongado deixa a carne dura, seca e fibrosa. Esse é um prato de enorme sucesso no verão.

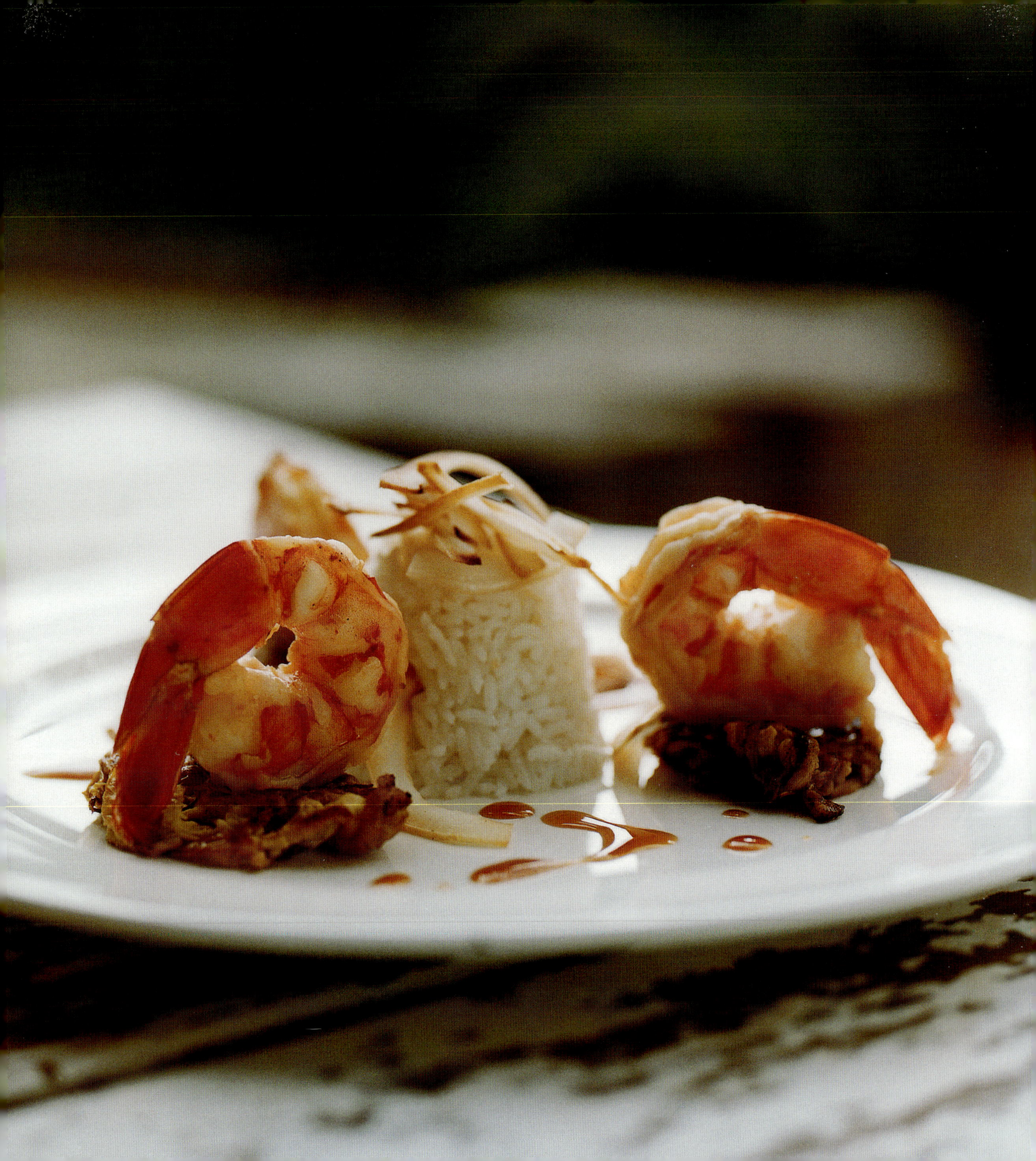

Camarões e cajus flambados em cachaça — 4 pessoas

INGREDIENTES

Para o caju
10 cajus maduros
100 g de manteiga
sal e pimenta-do-reino

Para o camarão
1 1/2 kg de camarão-rosa grande com casca
suco de 1/2 limão
100 g de manteiga
8 talos de cebolinha em pedaços de 6 cm
200 ml de cachaça
sal e pimenta-do-reino

Para os chips de coco
1/2 coco descascado

MODO DE PREPARAR

Caju
ESPREMA OS CAJUS COM A MÃO ATÉ EXTRAIR TODO O SUCO E RESERVE. COM AUXÍLIO DE UM GARFO, ESGARCE O QUE SOBROU DOS CAJUS PARA QUE FIQUEM EM FIAPOS. SALPIQUE COM SAL E PIMENTA E REFOGUE EM METADE DA MANTEIGA, ATÉ FICAREM DOURADOS. RESERVE.

Camarão
LIMPE O CAMARÃO, MANTENDO AS CAUDAS, E TEMPERE COM O SUCO DE LIMÃO, O SAL E A PIMENTA. NUMA PANELA, AQUEÇA A MANTEIGA E REFOGUE O CAMARÃO COM A CEBOLINHA. FLAMBE COM A CACHAÇA E RESERVE EM LUGAR AQUECIDO. DEGLACE A FRIGIDEIRA EM QUE O CAMARÃO FOI FLAMBADO COM O SUCO DE CAJU. PARA ISSO, AQUEÇA A FRIGIDEIRA EM FOGO MÉDIO, E QUANDO O SUCO DO COZIMENTO SE DEPOSITAR NO FUNDO E A GORDURA SUBIR À SUPERFÍCIE, ABAIXE O FOGO E COM UMA COLHER DE PAU RETIRE TODA A GORDURA POSSÍVEL. JUNTE O SUCO DE CAJU E MISTURE COM UMA COLHER PARA INCORPORÁ-LO AO SUCO DO COZIMENTO E DEIXE REDUZIR. NA HORA DE SERVIR, EMULSIONE COM O RESTANTE DA MANTEIGA.

Chips de coco
COM A AJUDA DE UM DESCASCADOR DE LEGUMES, CORTE O COCO EM LÂMINAS FINAS. COLOQUE O COCO EM UMA ASSADEIRA E LEVE AO FORNO PREAQUECIDO MÉDIO (180°C) ATÉ QUE ESTEJA DESIDRATADO E DOURADO.

MONTAGEM

MONTE O ARROZ E COLOQUE OS CHIPS DE COCO SOBRE ELE. SIRVA ACOMPANHANDO O CAMARÃO, QUE DEVE ESTAR DISPOSTO SOBRE OS BAGAÇOS DE CAJU.

A idéia dos cajus me foi sugerida pelo artista plástico Aldemir Martins. Eles são deliciosos, mesmo sem os camarões. Um vegetariano poderá se fartar só com os cajus salteados na manteiga.

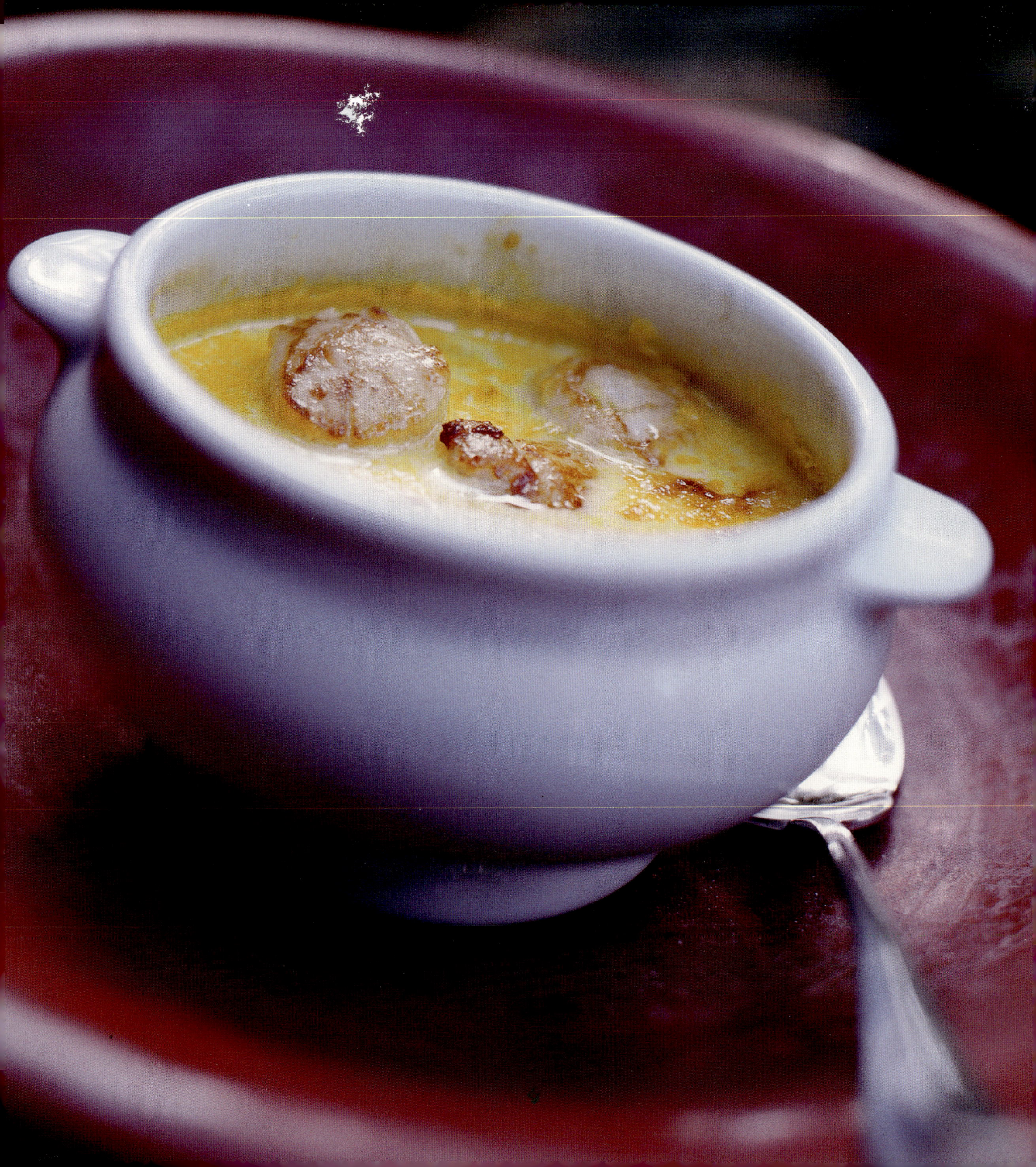

Gratinado de vieiras ao creme de açafrão — 4 pessoas

INGREDIENTES

20 vieiras com as conchas (de preferência frescas)
2 colheres (sopa) de óleo de milho ou de girassol
100 ml de vinho branco seco
1 cebola média ralada
50 g de manteiga
400 ml de creme de leite fresco
2 pacotinhos de açafrão em pó (0,125 g cada)
sal e pimenta-do-reino

MODO DE PREPARAR

TEMPERE AS VIEIRAS COM SAL E PIMENTA. NUMA FRIGIDEIRA ANTIADERENTE, AQUEÇA O ÓLEO E GRELHE AS VIEIRAS, DEIXANDO DOURAR LIGEIRAMENTE DE CADA LADO. RETIRE DA FRIGIDEIRA E RESERVE. DESCARTE O ÓLEO DA FRIGIDEIRA E DEGLACE COM O VINHO. PARA ISSO, AQUEÇA A FRIGIDEIRA EM FOGO MÉDIO, E QUANDO O SUCO DO COZIMENTO SE DEPOSITAR NO FUNDO E A GORDURA SUBIR À SUPERFÍCIE, ABAIXE O FOGO E COM UMA COLHER DE PAU RETIRE TODA A GORDURA POSSÍVEL. JUNTE O VINHO E MISTURE COM UMA COLHER PARA INCORPORÁ-LO AO SUCO DO COZIMENTO E DEIXE REDUZIR. ACRESCENTE A CEBOLA E A MANTEIGA E REFOGUE ATÉ COMEÇAR A DOURAR. ADICIONE O CREME DE LEITE E O AÇAFRÃO, DEIXE REDUZIR ATÉ SE TORNAR UM MOLHO ESPESSO E JUNTE NOVAMENTE AS VIEIRAS. DISPONHA NUMA FORMA REFRATÁRIA, ACERTE O TEMPERO E LEVE À SALAMANDRA OU AO FORNO PREAQUECIDO BEM QUENTE (220ºC) PARA GRATINAR. SIRVA ACOMPANHADO DE ARROZ DE JASMIM OU BRANCO OU DE BATATAS COZIDAS.

Esse é um prato de inverno, bastante calórico, mas delicioso. Luciano Boseggia foi quem primeiro inspirou este prato quando fez camarões ao creme de açafrão em um festival aqui no Manacá. Muitas vezes adiciono pimenta ou gengibre para levantar o sabor.

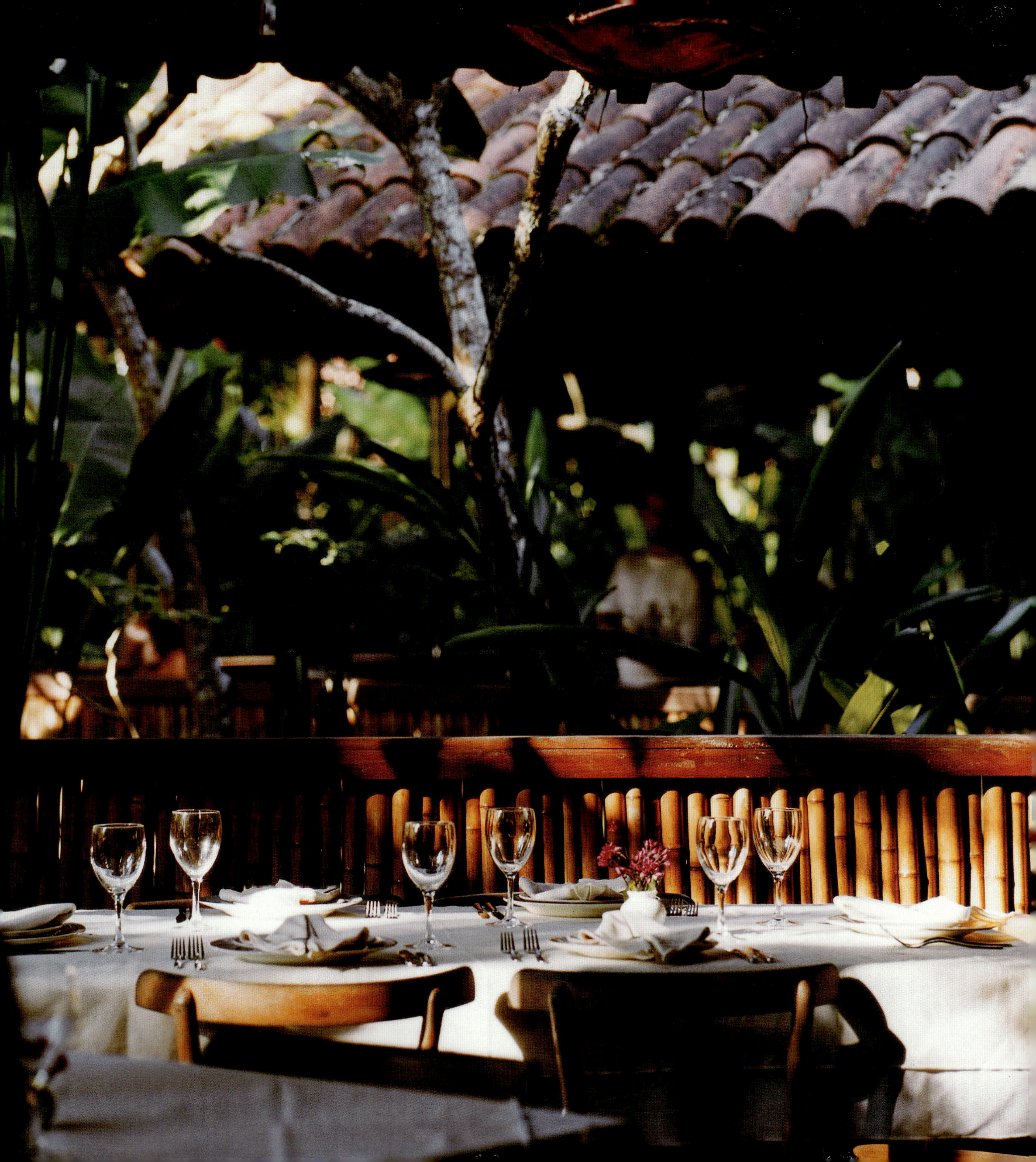

Camarões ao creme de gorgonzola e pistaches com purê de mandioquinha e espinafre *4 pessoas*

INGREDIENTES

Para o creme de gorgonzola
1 colher (sopa) de manteiga
2 colheres (sopa) de cebola ralada
2 colheres (sopa) de gorgonzola esmigalhado
250 ml de creme de leite fresco
3 colheres (sopa) de pistache moído
sal e pimenta-do-reino

Para o purê de mandioquinha
400 g de mandioquinha
24 folhas de espinafre
sal

Para o camarão
2 colheres (sopa) de manteiga
1/2 cebola em 4 partes
16 camarões grandes sem casca
suco de 1/2 limão
4 colheres (sopa) de pistache torrado
sal e pimenta-do-reino

MODO DE PREPARAR

Creme de gorgonzola
NUMA PANELA, COLOQUE A MANTEIGA E A CEBOLA E REFOGUE ATÉ ESTA FICAR TRANSPARENTE. JUNTE O GORGONZOLA, O CREME DE LEITE E O PISTACHE MOÍDO E COZINHE, MEXENDO SEMPRE, ATÉ ENGROSSAR. TEMPERE COM SAL E UM POUCO DE PIMENTA E RESERVE.

Purê de mandioquinha
COZINHE A MANDIOQUINHA EM ÁGUA COM SAL. ESCORRA E BATA NO PROCESSADOR OU PASSE PELO ESPREMEDOR DE BATATA PARA OBTER UM PURÊ. RESERVE.
BRANQUEIE OS ESPINAFRES, PASSANDO-OS POR ÁGUA QUENTE POR 2 MINUTOS E DEPOIS POR ÁGUA BEM FRIA, E RESERVE.

Camarão
NUMA PANELA, DERRETA A MANTEIGA E REFOGUE A CEBOLA, OS CAMARÕES (PREVIAMENTE TEMPERADOS COM O SUCO DE LIMÃO), O SAL E A PIMENTA ATÉ QUE ESTEJAM COZIDOS.

MONTAGEM

NO CENTRO DE PRATOS INDIVIDUAIS, COLOQUE O PURÊ DE MANDIOQUINHA DENTRO DE UM ARO DE INOX. POR CIMA, ARRUME AS FOLHAS DE ESPINAFRE. EM VOLTA, DISPONHA O CREME DE GORGONZOLA E, SOBRE ELE, OS CAMARÕES. SALPIQUE OS PISTACHES SOBRE O PRATO E SIRVA.

O segredo desse prato está em harmonizar o sabor marcante do gorgonzola com o creme de leite e pistache, para que o sabor desse molho não domine os camarões.

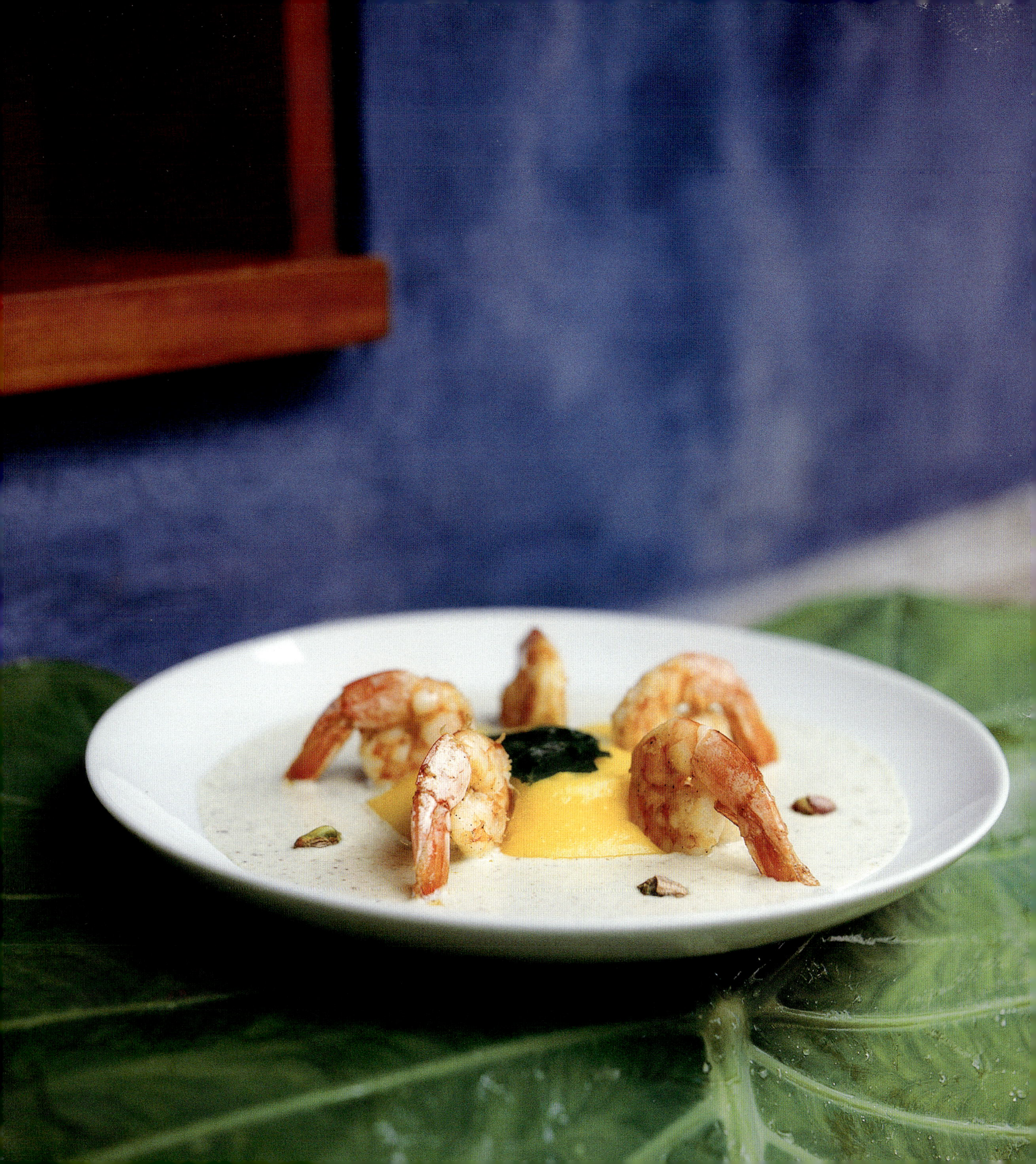

Camarões ao molho de vinho tinto e risoto de berinjela e brie *4 pessoas*

INGREDIENTES

Para o fundo de legumes
- 2 litros de água
- 1 cebola em pedaços
- 1 cenoura em pedaços
- 1 talo de salsão em pedaços
- 1 alho-poró em rodelas (apenas a parte branca)
- sal e pimenta-do-reino

Para a redução
- 1 cebola
- 1 cenoura
- 1/2 talo de alho-poró
- 2 talos de salsão
- 1/2 garrafa de vinho tinto seco
- 300 ml de suco de uva concentrado
- 2 cravos-da-índia
- 2 colheres (sopa) de manteiga em pedaços
- sal e pimenta-do-reino

Para o camarão
- 10 camarões
- 4 colheres (sopa) de manteiga
- 1 cebola grande em 4 partes
- sal e pimenta-do-reino

Para o risoto
- 2 colheres (sopa) de manteiga
- 1 colher (sopa) de azeite de oliva
- 2 colheres (sopa) de cebola ralada
- 170 g de arroz italiano para risoto
- 1/2 xícara de vinho branco seco
- 1 litro de fundo de legumes
- 1/2 berinjela pequena com a casca em cubos
- 2 colheres (sopa) de queijo brie picado
- 1 colher (sopa) de queijo parmesão ralado

MODO DE PREPARAR

Fundo de legumes
NUMA PANELA, COLOQUE TODOS OS INGREDIENTES E FERVA EM FOGO BAIXO POR APROXIMADAMENTE 1 HORA. RETIRE DO FOGO, COE E RESERVE.

Redução
CORTE TODOS OS LEGUMES E FERVA COM O VINHO, O SUCO DE UVA E OS CRAVOS. DEIXE REDUZIR A 1/4 DO VOLUME INICIAL. PENEIRE E TEMPERE COM SAL E PIMENTA. NA HORA DE SERVIR, ACRESCENTE A MANTEIGA EM PEDAÇOS, AOS POUCOS, EMULSIONANDO O MOLHO. RESERVE.

Camarão
TEMPERE OS CAMARÕES COM SAL E PIMENTA. NUMA FRIGIDEIRA, COLOQUE A MANTEIGA E A CEBOLA, JUNTE OS CAMARÕES E DEIXE GRELHAR LENTAMENTE, ATÉ ESTAR NO PONTO. RESERVE.

Risoto
NUMA PANELA, COLOQUE 1 COLHER (SOPA) DA MANTEIGA E O AZEITE, JUNTE A CEBOLA E REFOGUE. ACRESCENTE O ARROZ E REFOGUE UM POUCO MAIS. AUMENTE O FOGO, ADICIONE O VINHO BRANCO E DEIXE EVAPORAR. REDUZA A CHAMA, VÁ ACRESCENTANDO AOS POUCOS O FUNDO DE LEGUMES E COZINHE POR UNS 5 MINUTOS. JUNTE A BERINJELA E CONTINUE ACRESCENTANDO O FUNDO DE LEGUMES ATÉ O RISOTO ESTAR QUASE NO PONTO. ACRESCENTE O BRIE E MISTURE PARA QUE DERRETA E FIQUE BEM INCORPORADO AO RISOTO. RETIRE A PANELA DO FOGO E ADICIONE A MANTEIGA RESTANTE E O QUEIJO PARMESÃO.

MONTAGEM
SIRVA OS CAMARÕES SOBRE 2 COLHERES (SOPA) DA REDUÇÃO DE VINHO TINTO, ACOMPANHADOS PELO RISOTO DE BERINJELA E BRIE.

Reduções de vinho tinto são mais comumente usadas com cordeiro e pato. Quando acompanham camarão, devem ser mais suaves e vir em menor quantidade.

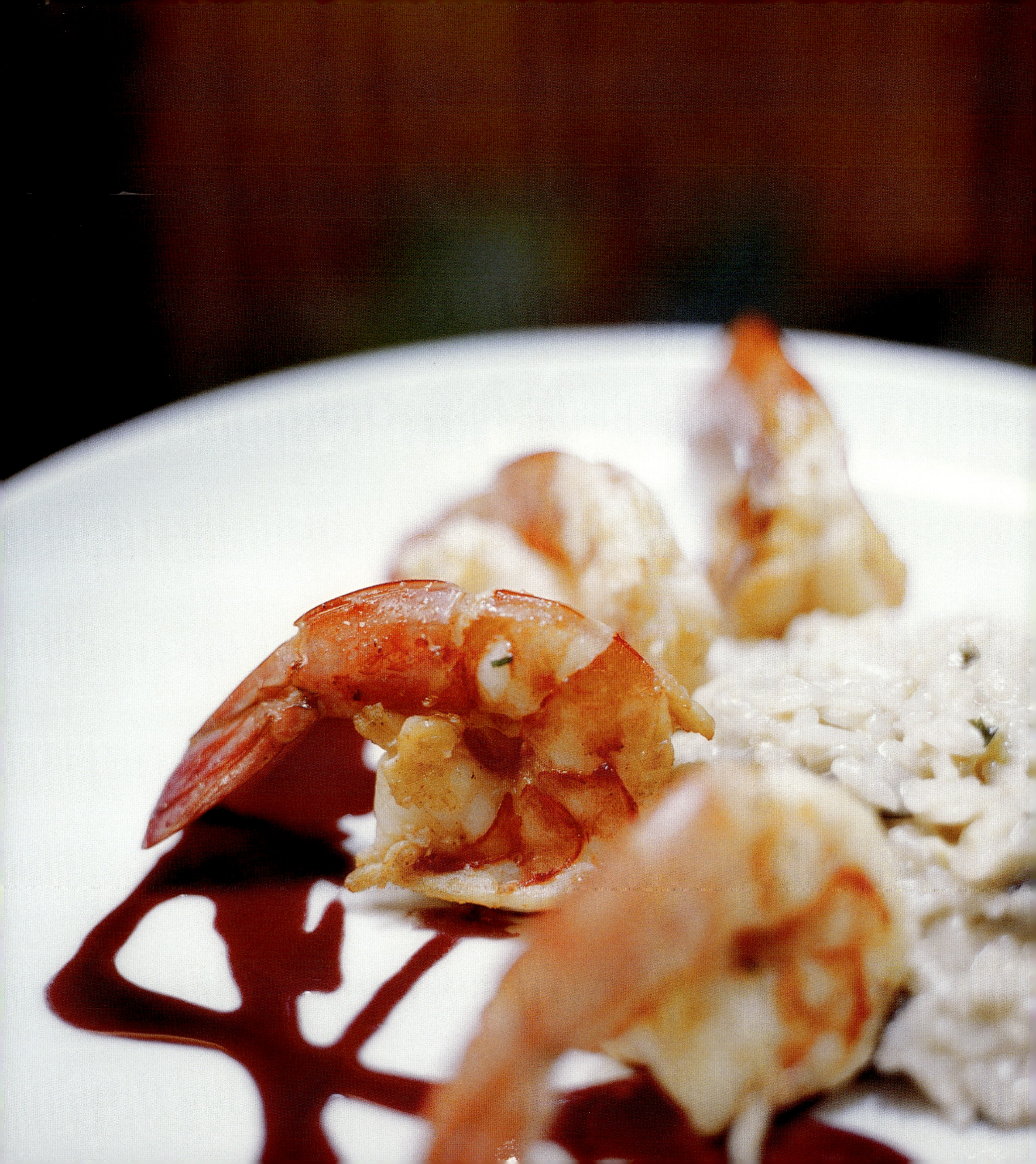

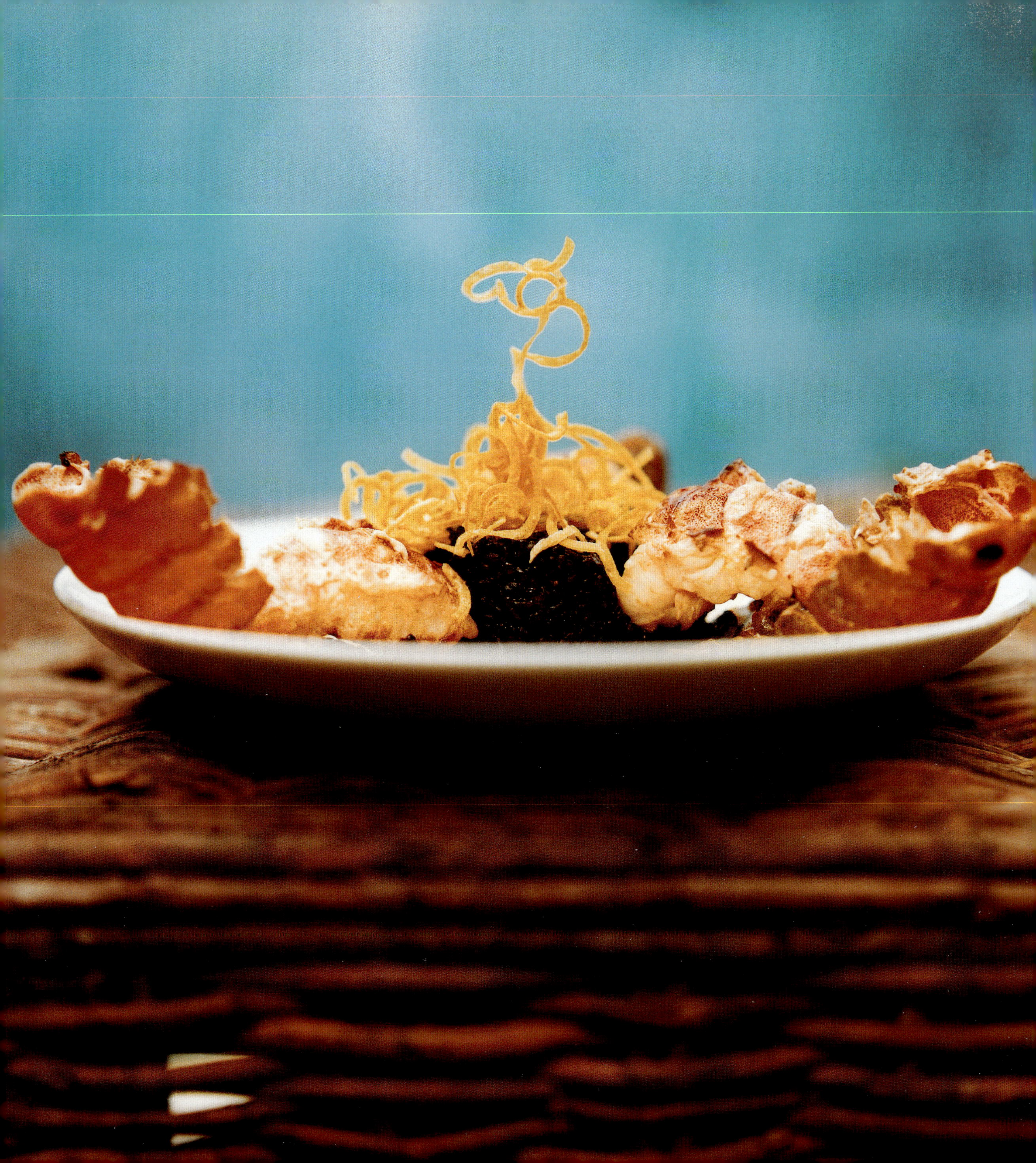

Cavaquinhas ao molho de tangerinas, riso nero de Lucedio e crocantes de mandioquinha — 4 pessoas

INGREDIENTES

Para o arroz
250 g de arroz nero de Lucedio
1 cebola pequena
2 dentes de alho
500 ml de água
sal

Para a mandioquinha
400 g de mandioquinha
óleo de milho para fritar

Para as cavaquinhas
suco de 8 tangerinas
2 colheres (sopa) de manteiga
8 a 16 caudas de cavaquinhas
1 cebola em 4 partes
sal e pimenta-do-reino

MODO DE PREPARAR

Arroz
Numa panela, cozinhe o arroz, a cebola inteira e o alho na água com o sal até que toda a água tenha sido absorvida. O arroz deve ficar com a consistência de arroz integral. Reserve.

Mandioquinha
Descasque, lave e corte a mandioquinha num mandolim japonês para obter fios compridos como espaguete ou talharim. Frite os fios de mandioquinha no óleo quente até ficarem dourados. Seque em papel absorvente.

Cavaquinhas
Numa panela, coloque o suco das tangerinas e deixa reduzir à metade ou até começar a engrossar. Junte 1 colher (sopa) da manteiga e mexa bem para incorporá-la ao molho. Reserve mantendo aquecido.
Retire a membrana que recobre a "barriga" das caudas de cavaquinha, descole-as parcialmente das cascas e tempere com sal e pimenta. Grelhe junto com a cebola na manteiga restante até estarem no ponto.

MONTAGEM

Com a ajuda de um ramequim ou de um aro inox, disponha porções do arroz no centro de pratos individuais. Distribua o molho em torno do arroz e as caudas de cavaquinha em volta. Arrume os crocantes de mandioquinha sobre o arroz e sirva imediatamente.

A cavaquinha é para mim o melhor dos crustáceos. É mais tenra e mais doce que o camarão e a lagosta. No entanto, pode-se substituir a cavaquinha por salmão, para quem não gosta ou tem alergia a crustáceos.

Camarões flambados em rum ao caramelo de vinagre balsâmico e risoto de hortelã 4 pessoas

INGREDIENTES

Para o caramelo
250 ml de vinagre balsâmico

Para o risoto
4 colheres (sopa) de cebola ralada
4 colheres (sopa) de manteiga
2 colheres (sopa) de azeite de oliva
350 g de arroz italiano para risoto
1 xícara de vinho branco seco
2 litros de fundo de peixe ou de legumes
(ver receitas nas p. 62 e 122)
6 colheres (sopa) de folhas de hortelã picadas
2 colheres (sopa) de queijo parmesão ralado

Para o camarão
20 camarões-rosa
1 colher (sopa) de manteiga
1/2 cebola em pedaços
75 ml de rum
sal e pimenta-do-reino

MODO DE PREPARAR

Caramelo
COLOQUE O VINAGRE BALSÂMICO NUMA PANELA E LEVE AO FOGO PARA REDUZIR ATÉ FORMAR UMA CALDA LEVE. COLOQUE DENTRO DE UMA BISNAGA E RESERVE.

Risoto
NUMA PANELA, REFOGUE A CEBOLA EM METADE DO AZEITE E METADE DA MANTEIGA E NO AZEITE. ACRESCENTE O ARROZ E REFOGUE UM POUCO. AUMENTE A CHAMA, JUNTE O VINHO BRANCO E DEIXE EVAPORAR. REDUZA O FOGO, ACRESCENTE AOS POUCOS O FUNDO DE LEGUMES OU DE PEIXE E COZINHE POR UNS 5 MINUTOS. JUNTE A HORTELÃ E CONTINUE O COZIMENTO, ACRESCENTANDO O CALDO ATÉ QUE O RISOTO ESTEJA NO PONTO. RETIRE A PANELA DO FOGO, JUNTE A MANTEIGA RESTANTE E O QUEIJO PARMESÃO.

Camarão
NUMA PANELA, GRELHE OS CAMARÕES NA MANTEIGA COM A CEBOLA. QUANDO ESTIVEREM COZIDOS, FLAMBE COM O RUM.

MONTAGEM

EM PRATOS INDIVIDUAIS, FAÇA DESENHOS COM O CARAMELO DE VINAGRE BALSÂMICO. DEPOIS, DISPONHA O RISOTO NO CENTRO E OS CAMARÕES EM VOLTA.

Camarões com rum e hortelã acidulados com vinagre balsâmico criam sabores vibrantes e intensos, que explodem na boca e pedem vinhos brancos mais complexos e estruturados.

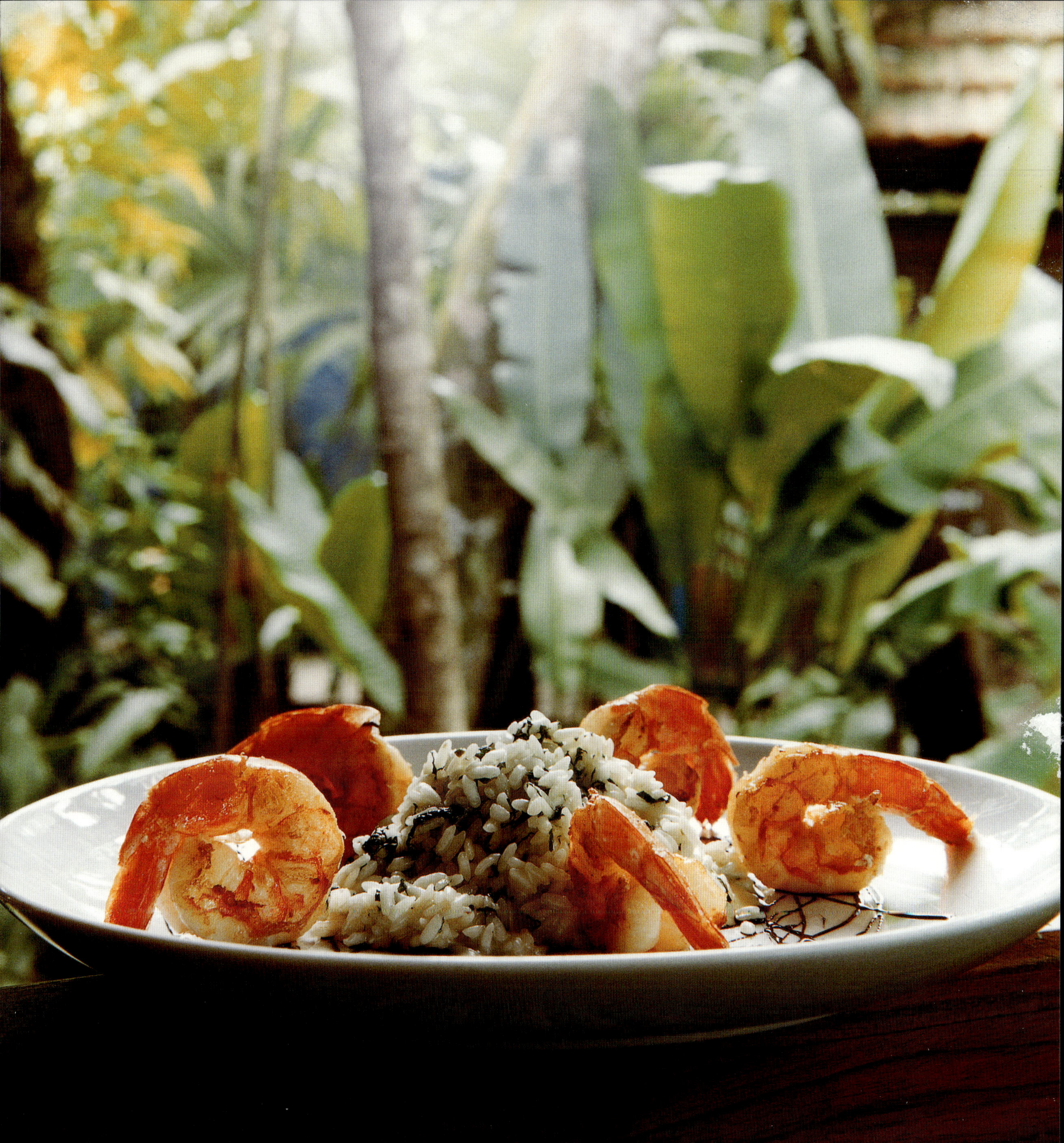

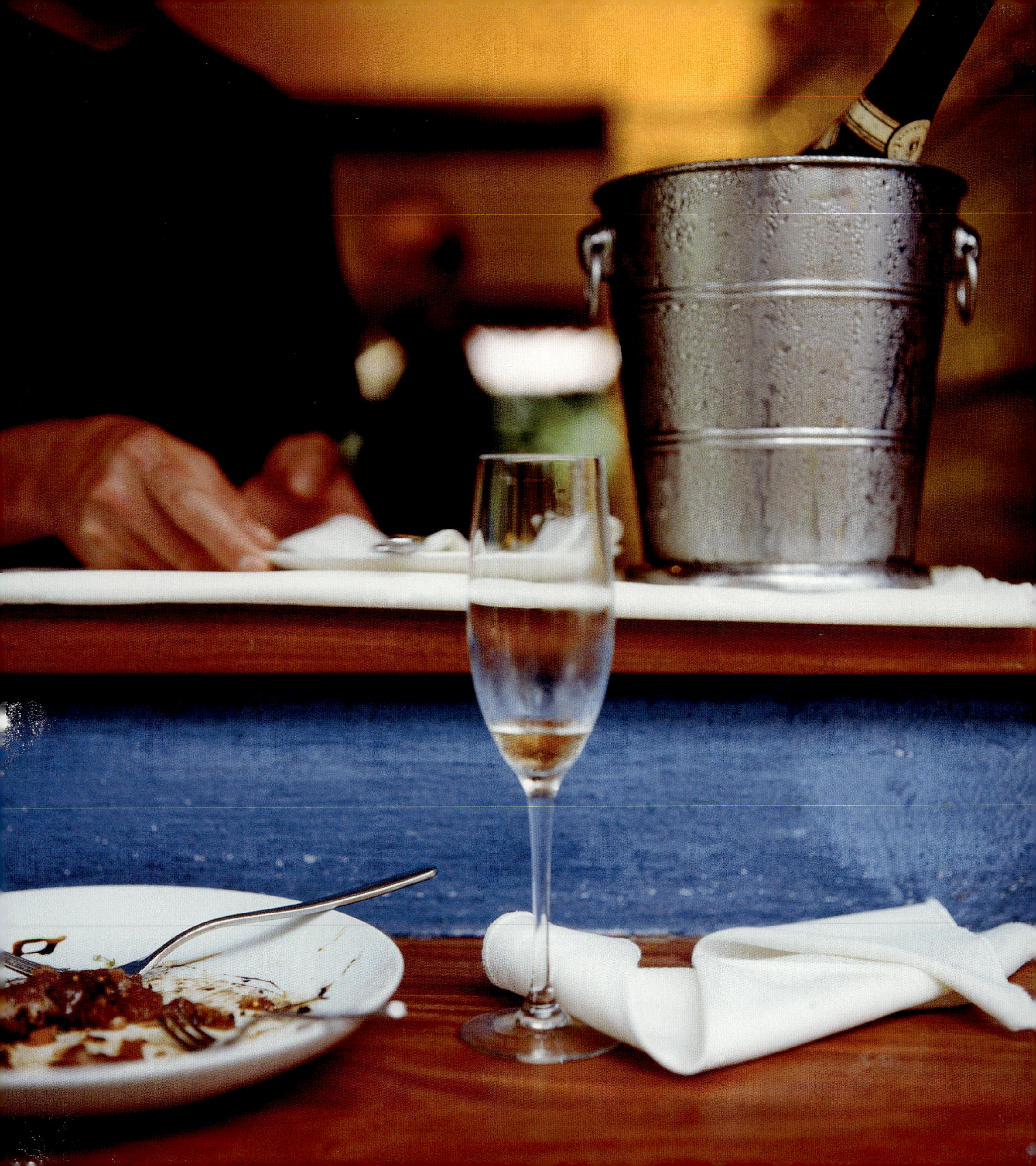

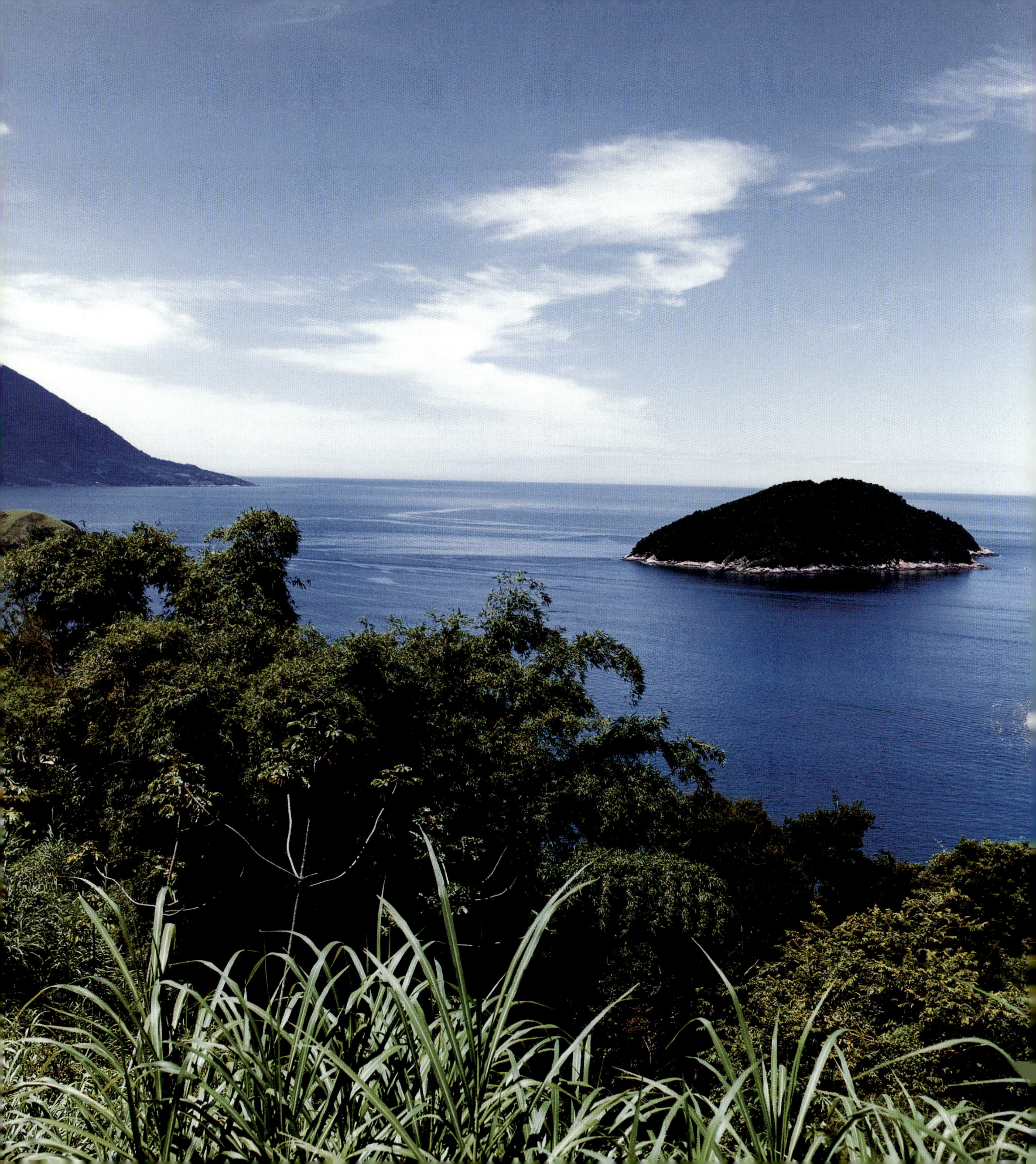

Peixes

Tartare de atum e salmão com caviar e creme de raiz-forte **42**

Atum à Mandacaru **45**

Tartare de carapau com maçã verde e caviar **46**

Bacalhau com alho-poró e batata-doce **49**

Papillote de robalo em folha de bananeira com farofa de camarão, banana e alcaparras **51**

Budião ao creme de iogurte e legumes **52**

Arroz de bacalhau **53**

Salmão grelhado com bolo de milho verde e vinagrete de framboesas **57**

Vermelho ao molho de lulas, tomates frescos e manjericão com blend de arroz selvagem e berinjela ao mel **58**

Salmão em crosta de batata ao creme de gengibre e cenoura caramelizada **60**

Garoupa à caiçara **62**

Arraia ao creme de salsinha e banana-da-terra **64**

Pescada em crosta de pistache, musseline de mandioca e vinagrete de gengibre **67**

Pescada-branca em crosta de ciabatta ao alecrim, purê de berinjela e sautée de legumes **71**

Filé de tainha ao aroma de bacon com feijão marinheiro e creme de pimentão vermelho **72**

Linguado ao creme de laranja **74**

Moluscos

Lulas grelhadas à Manacá **79**

Salada de vieiras em redução de tangerina sobre endívia e verde **80**

Lulas à provençal recheadas com camarão e alho-poró e musseline de mandioquinha **83**

Mexilhões ao vinho branco **84**

Penne ao Manacá **88**

Tempura de lulas recheadas com lentilha de Puy e cebola caramelizada em salada 89

Spaguetti alle vongole 90

Refogado de polvo com grão-de-bico e agrião 92

Grelhado de frutos do mar e legumes 95

Crustáceos

Salada de camarões com manga, papaia e coentro 99

Lagostins e alcachofras em vinagrete de tomates verdes
e vermelhos com azeite de sálvia 100

Casquinhas de siri 102

Casadinho crocante de camarões em salada com vinagrete de amendoim 104

Ceviche de lagosta e frutas cítricas em emulsão de wasabi e azeite de ervas 106

Camarões à provençal 107

Lagosta picante em molho de coco e abacaxi 108

Camarão ao creme de queijos 110

Camarões flambados em conhaque com tagliatelle ao funghi 112

Lagosta grelhada em molho de laranja e manjericão com salada verde 113

Camarões e cajus flambados em cachaça 115

Gratinado de vieiras ao creme de açafrão 117

Camarões ao creme de gorgonzola e pistaches com purê de mandioquinha e espinafre 120

Camarões ao molho de vinho tinto e risoto de berinjela e brie 122

Cavaquinhas ao molho de tangerinas, riso nero de Lucedio e crocantes de mandioquinha 125

Camarões flambados em rum ao caramelo de vinagre balsâmico e risoto de hortelã 126

Dados Internacionais de Catalogação na Publicação (CIP)
(Câmara Brasileira do Livro, SP, Brasil)

Engel, Edinho
O cozinheiro e o mar / Edinho Engel
São Paulo: DBA Artes Gráficas, 2002.

ISBN 85-7234-258-3

1. Culinária 2. Engel, Edinho I. Título

02-5764   CDD-641.5

Índices para catálogo sistemático:

1. Culinária 641.5

2. Receitas culinárias 641.5

Impresso no Brasil
Reimpressão 2009
DBA Dórea Books and Art
al. Franca 1185 cj. 31/32
01422-001 Cerqueira César
São Paulo SP Brasil
tel.: 11 3062 1643 fax: 11 3088 3361
dba@dbaeditora.com.br